LE CAS ETRANGE
DU Dr JEKYLL ET DE M. HYDE

R.L. STEVENSON

LE CAS ETRANGE DU Dr JEKYLL ET DE M. HYDE

Traduit de l'anglais
par
Théo Varlet

Introduction, notes, bibliographie et chronologie
par
Jean-Pierre Naugrette

GF-Flammarion

INTRODUCTION

> « *Docteur Jekyll* n'est pas un
> livre pour les petits garçons... »
> Henry James[1].

Au sortir d'une nuit agitée

En 1885, Robert Louis Stevenson a trente-cinq ans. Par rapport à ses années de jeunesse, souvent difficiles, sa situation personnelle s'est largement améliorée : il est marié depuis cinq années avec Fanny Osbourne, et l'expérience d'une solitude radicale, qui avait failli tourner au drame lors de son voyage en Californie, semble définitivement oubliée. Mieux, le jeune auteur encore inconnu de la fin des années 1870 est célèbre depuis 1881, date à laquelle commence à paraître dans l'hebdomadaire *Young Folks* un roman intitulé *L'Île au trésor*, qui rencontra un succès immédiat. Installé depuis juillet 1885 à Bournemouth, sur la côte sud de l'Angleterre, dans un cottage baptisé « Skerryvore[2] », le couple Stevenson a également

---

1. « Robert Louis Stevenson », in *Partial Portraits* (1888), repris dans *Notes on Novelists* (1914) et comme Introduction à l'édition Stevenson, Laffont, coll. « Bouquins », 1984, p. 21.
2. Du nom d'un phare construit par un oncle de l'auteur. Les Stevenson étaient, de père en fils, constructeurs ou ingénieurs de phares. Ils contribuèrent à l'éclairage des côtes écossaises, et Robert Louis songea lui-même à embrasser la profession d'ingénieur.

vaincu l'hostilité ou l'ostracisme dont il avait fait l'objet, dans les premières années du mariage, de la part de la famille du romancier ou de ses amis. Non seulement Thomas Stevenson a pardonné à son fils cette alliance qu'il jugeait d'un mauvais œil (Fanny était plus âgée que Robert Louis, elle avait eu des enfants de son premier mariage, elle était divorcée, américaine...), mais les amis, d'abord très réticents, fréquentent de nouveau le couple : « Skerryvore » devient peu à peu un lieu à la mode, où défilent à la fois les vieilles connaissances et des personnalités en vue. On y voit Sidney Colvin, un ami de longue date, Robert (« Bob ») Stevenson, cousin de l'écrivain, mais aussi Henry James, avec lequel Stevenson devait entretenir des liens étroits en échangeant avec lui une abondante correspondance[1], ou encore le peintre John Singer Sargent, qui fit de lui deux superbes portraits[2]. De son côté, Stevenson rend visite à ces deux grands romanciers contemporains que sont Thomas Hardy et George Meredith. Enfin, à Bournemouth même, il a pour voisin Sir Percy Shelley, le fils du célèbre poète, auquel il dédiera *Le Maître de Ballantrae* (1889) depuis Honolulu. Tout conspire donc à faire de Robert Louis Stevenson un écrivain reconnu, voire établi.

Plusieurs types de difficultés continuent cependant de l'assaillir. Des soucis de santé, tout d'abord. Depuis son enfance, il souffre en effet d'une forme d'emphysème pulmonaire contre lequel il devra lutter toute sa vie. Plusieurs fois, il a dû séjourner dans le sud de la France, à Hyères ou Menton, pour tenter de conjurer le mal. En 1879, alors qu'il est en Californie, il manque de mourir d'une pleurésie et ne doit son salut qu'à l'arrivée de Fanny, qui jouera toujours auprès de

---

1. Voir *Henry James-Robert Louis Stevenson : une amitié littéraire*, correspondance et textes présentés par Michel Le Bris, trad. Malika Durif, Verdier, 1987.
2. L'un, daté de 1885, appartient à la collection de M. et Mme John Hay Whitney. L'autre, daté de 1887, se trouve au Taft Museum à Cincinnati, dans l'Ohio.

lui un rôle d'infirmière maternelle. Leur mariage, en 1880, avait été célébré dans la hâte, par crainte d'une mort prochaine. Cinq années plus tard, Stevenson est encore très mal en point. De même, une fois passé le succès de *L'Ile au Trésor*, les ennuis financiers refont leur apparition, et l'incitent à écrire le plus vite possible. C'est dans ce contexte que la maison d'édition Longmans, qui lui avait avancé la même année 1885 la somme de cent cinquante livres pour *Le Dynamiteur* sans rentrer dans ses frais, le presse de donner quelque chose de rentable. L'éditeur lui suggère d'écrire un petit roman à sensation (*shilling shocker*), idée qu'il n'accepte qu'à contrecœur, après deux jours passés, de son propre aveu[1], à se torturer la cervelle. La suite appartient à l'histoire de la littérature anglaise. La deuxième nuit, Fanny est alertée par les cris d'horreur poussés par son mari pendant son sommeil, et le réveille pour le faire sortir de son cauchemar. Stevenson lui explique alors, sur un ton qui n'est pas loin de la protestation : « je rêvais à un joli conte d'horreur... » Fanny a fait cesser ses cris, mais elle l'a aussi interrompu, non pas en plein rêve, mais en plein conte, en pleine histoire : on pense à la déception de Coleridge près d'un siècle plus tôt, lorsque au sortir d'une nuit où il avait vu défiler les images d'un long poème, il fut distrait par un voisin pendant plus d'une heure, ce qui l'empêcha de tout se remémorer, et le condamna à n'écrire, en définitive, qu'un fragment d'une cinquantaine de vers[2]... Le rôle ambigu joué par Fanny se confirme dans les jours suivants, qui sont décisifs pour la genèse de l'œuvre. Pendant trois jours en effet, Stevenson écrit frénétiquement une version de l'histoire qu'il lit ensuite à Lloyd, son beau-fils, ainsi qu'à

1. Voir R.L.S., « Un chapitre sur les rêves » (1888), in *Essais sur l'art de la fiction*, édition établie et présentée par Michel Le Bris, La Table Ronde, 1988, p. 365 : « Pendant deux jours, je me torturai la cervelle à la recherche d'une intrigue... »
2. Le rapprochement entre Coleridge et Stevenson est effectué par J. L. Borges dans « Le rêve de Coleridge », *Enquêtes, 1937-1952*, trad. P. et S. Bénichou, Gallimard, 1957.

Fanny. Si le premier est enthousiaste, la seconde exprime de fortes réticences en avançant que l'histoire est certes sensationnelle, mais qu'elle passe à côté de l'allégorie[1]. S'ensuit alors une dispute très violente entre l'écrivain et son épouse, au terme de laquelle le premier quitte la pièce. Quelque temps après, Stevenson revient en annonçant que Fanny a raison, et jette son manuscrit au feu.

Il est bien sûr difficile, sinon impossible, de savoir ce que contenait cette première version définitivement perdue. On peut supposer, en suivant certains critiques, que les excès de M. Hyde y étaient décrits de manière trop explicite pour être acceptés par la femme de l'écrivain[2]. Toujours est-il qu'après avoir brûlé ce premier manuscrit, Stevenson se met à écrire non moins frénétiquement une deuxième version, qu'il achève en trois jours. Après quoi il en prépare une nouvelle, dans laquelle il introduit des changements considérables[3], et qu'il prend le temps de rédiger en six semaines. Le texte définitif est alors publié chez Longmans en janvier 1886, et connaît un succès immédiat : il se vend, rien qu'en Angleterre, à près de quarante mille exemplaires durant les six premiers mois. Aux Etats-Unis, le succès est encore plus fulgurant. Pour l'auteur comme pour l'éditeur, le mauvais sort est enfin conjuré. Cette terrible nuit a été créatrice : le cauchemar de Stevenson a accouché d'un chef-d'œuvre.

---

1. Voir le récit qu'en fait Fanny Osbourne-Stevenson dans « Souvenirs de M. Hyde », in *Essais sur l'art de la fiction*, pp. 401-405.

2. En s'appuyant sur les notes de la deuxième version (« Notebook Draft »), certains critiques comme Richard Dury lisent les « plaisirs disgracieux » auxquels Jekyll avoue s'être livré « en secret » comme une allusion à la masturbation. Voir R. Dury, *The Annotated Dr Jekyll and Mr Hyde*, Milan, Guerini Studio, coll. « Collana Blu », nº 19, 1993, p. 23.

3. On pourra comparer les deux versions du manuscrit dans *Dr Jekyll and Mr Hyde after One Hundred Years*, édition de William Veeder et Gordon Hirsch, Presses de l'Université de Chicago, 1988.

Un cauchemar fin de siècle

L'anecdote est importante, mais elle ne saurait expliquer à elle seule la genèse du *Cas étrange du Dr Jekyll et de M. Hyde*. Pas plus que les considérations financières de l'écrivain, qui n'a pas pu rêver sur commande, et pour qui le motif du dédoublement chez l'homme préexistait largement au cauchemar de 1885. « J'essayais depuis longtemps d'écrire une histoire sur ce sujet, de trouver un corps, un véhicule, pour ce sentiment puissant de la dualité humaine qui par moments assaille et submerge l'esprit de toute créature pensante », explique-t-il avant d'évoquer son propre rêve [1]. Dès 1880, il a écrit en collaboration avec W.E. Henley une pièce de théâtre intitulée *Le Diacre Brodie, ou la double vie*, qui mettait en scène un personnage préfigurant le Dr Jekyll : ébéniste de son état, Brodie s'était rendu célèbre à Edimbourg comme artisan fort respectable le jour et cambrioleur la nuit. Fanny Stevenson le rappelle dans le texte qu'elle consacre à la genèse du roman : le jeune Stevenson possédait dans sa chambre d'enfant une bibliothèque et une commode fabriquées par le fameux Brodie, sur lesquelles l'imagination enflammée de sa nurse Cummy avait même composé des chansons. Fanny précise aussi que son mari avait lu quelques années plus tard « un article sur le subconscient paru dans une revue scientifique française », et qu'il en avait été très impressionné. « Cet article », poursuit Fanny, « combiné avec ses souvenirs de Deacon Brodie, fut à l'origine de l'idée qu'il développa ultérieurement [...] et qui enfin culmina, après une forte fièvre consécutive à une hémorragie pulmonaire, dans le cauchemar de Jekyll et Hyde [2]. » Les souvenirs d'enfance doivent être aussi évoqués, notamment le Calvinisme très strict du père, relayé qu'il était par les histoires puritaines que racontait Cummy à cet enfant si

1. R.L.S., « Un chapitre... », *ibid.*
2. « Souvenirs de M. Hyde », p. 402.

souvent malade : il faut se figurer le jeune Robert
Louis condamné à garder le lit et à faire, à intervalles
réguliers, des cauchemars dont il ne sortait qu'avec
difficulté[1]. Bien que s'étant rebellé par la suite contre
le calvinisme paternel, Stevenson ne devait jamais
perdre de vue cette séparation tranchée entre le Bien
et le Mal inculquée par la religion de son enfance : la
dédicace du roman à Katharine de Mattos ne
constitue-t-elle pas un véritable avertissement moral
sur ce qui risque d'arriver lorsqu'on touche aux lois
fondamentales de la personnalité humaine telles que
Dieu les a conçues ? *Le Cas étrange* a parfois été publié
au titre de fable[2], comme si son message moral était
clair : de tous les noms propres qui peuplent le roman,
celui qui revient le plus souvent, dans la bouche des
principaux personnages (y compris de Jekyll-Hyde,
lors de « La dernière nuit »), est bien celui de Dieu.

Le témoignage de Fanny permet également de voir
dans le cauchemar de son mari l'aboutissement d'une
évolution littéraire et scientifique à la fois propre à
Stevenson, et représentative d'une époque. Outre la
pièce écrite avec Henley, Fanny cite en effet *Markheim*, une nouvelle fantastique à la manière d'Edgar
Poe, qui joue sur les motifs du crime gratuit et du
double tentateur. Entre « le meurtrier » qu'est Markheim et « le visiteur » qui pourrait bien être le diable,
s'engage un étrange dialogue à l'issue duquel le premier remet en cause l'unité de sa propre personnalité
en des termes qui annoncent la séparation souhaitée et
réalisée par Jekyll : « est-ce qu'une portion de moi-
même, et la pire, continuera jusqu'au bout à opprimer
la meilleure ? Le mal et le bien circulent violemment
en moi et m'appellent chacun après soi[3] ». Faute de

1. Voir par exemple le texte autobiographique intitulé « Nuits
blanches », dans *Edinburgh : Picturesque Notes*, Skerryvore Edition,
Heinemann, 1925, vol. XXVI.
2. Voir *The Strange Case of Dr Jekyll and Mr Hyde, with other
fables*, Londres, Longmans, Green and Co., 1913.
3. R.L.S., « Markheim » (1885), in *Le Cas étrange du Dr Jekyll et
de M. Hyde*, trad. Théo Varlet, Paris, U.G.E., coll. « 10/18 », 1976,
p. 348.

pouvoir trancher entre ces deux entités contradictoires comme le fera Jekyll, Markheim préfère se rendre à la justice par « haine du mal[1] » qui est en lui, forme de suicide moral qu'on retrouvera dans les dernières pages de la confession du docteur. Il faut citer aussi une autre nouvelle fantastique, *Le voleur de cadavres*, où le dédoublement s'applique déjà à des figures de docteurs ou de savants, et qui, comme *Markheim*, précède de peu *Le Cas étrange*. Située à Edimbourg au début du XIXe siècle, l'action repose sur les activités interlopes des étudiants en médecine de l'Université, qui, pour plaire à leurs professeurs, n'hésitent pas à devenir leurs âmes damnées en profanant les cimetières de la région pour les besoins des salles de dissection[2]... Ce n'est sans doute pas un hasard s'il faut traverser un « laboratoire » ou une « salle de dissection » pour pénétrer dans le cabinet du Dr Jekyll comme le fait M. Utterson au début du chapitre V, où l'on apprend que le docteur a racheté la maison aux héritiers d'un « chirurgien fameux » : à travers Utterson, l'auteur joue très habilement avec les peurs du lecteur, qui s'attend à retrouver les pratiques infâmes des chirurgiens d'Edimbourg[3]. Mais, dans le même temps, le fait que l'amphithéâtre soit vide et inutilisé, que Jekyll préfère la chimie à l'anatomie, inquiète : s'il ne se sert pas de l'amphithéâtre, à quel type de médecine le Dr Jekyll s'adonne-t-il ? Après tout, la bonne vieille dissection des corps avait quelque chose de rassurant. La salle de dissection déserte fait ici office d'antichambre ironique au cabinet où Jekyll travaille à ses recherches : à cet instant, le notaire est loin de se douter que ces dernières ont pour objet l'exploration

1. *Ibid.*, p. 351.
2. Voir « Le voleur de cadavres » (1884), in *Nouvelles fantastiques anglaises/Stories of Mystery*, Le Livre de Poche bilingue, coll. « Les Langues Modernes », 1990, n° 8729.
3. La présence d'un praticien à fort accent d'Edimbourg auprès de la fillette piétinée par Hyde dans le premier chapitre peut être lue ici comme un rappel de la nouvelle, et donc comme un détail potentiellement inquiétant.

de la conscience, que son ami se livre, en fait, à la dissection du moi. La précision apportée par Fanny est donc essentielle, même si l'on n'a pas retrouvé l'article sur le subconscient lu par Stevenson dans une revue scientifique française. Le grand débat qui agite le monde de la psychiatrie dans les années 1880 porte en effet sur la notion de personnalité multiple[1], et la découverte du Dr Jekyll, « à savoir, que l'homme n'est en réalité pas un, mais bien deux », est contemporaine des travaux de Charcot sur l'hystérie et l'hypnose (*Leçons sur les maladies du système nerveux*, 1873-1884). De même, il est révélateur que *Le Cas étrange* soit publié la même année où Freud, disciple de Charcot, s'installe comme praticien à Vienne (1886). Lorsque Jekyll précise les limites de sa découverte, le texte de Stevenson prend un tour prophétique :

> « Je dis deux, parce que l'état de mes connaissances propres ne s'étend pas au-delà. D'autres viendront après moi, qui me dépasseront dans cette voie ; et j'ose avancer l'hypothèse que l'on découvrira finalement que l'homme est formé d'une véritable confédération de citoyens multiformes, hétérogènes et indépendants » (p. 114).

La répartition des personnages, leur agencement, et les relations étroites qu'ils entretiennent les uns avec les autres peuvent faire penser que *Le Cas étrange* met en scène, de façon prémonitoire, les instances du psychisme humain que Freud commencera à systématiser dès la fin du siècle : le « cas étrange » du docteur peut en effet se résumer à l'histoire d'un Moi (Jekyll) perpétuellement menacé par deux instances, l'une intérieure (Hyde), l'autre extérieure (Utterson), qui se conjuguent et s'allient pour l'éliminer. Le jeu de mots sur la partie de cache-cache (*Hyde and Seek*) effectué

---

1. Voir R. Dury, *op. cit.*, p. 29. Si l'article scientifique lu par R.L.S. dans une revue scientifique française n'a pas été retrouvé, on sait en revanche que R.L.S. entretint une correspondance avec F.W.H. Myers, le fondateur de la « Society for Psychical Research », après la publication de *Dr Jekyll et M. Hyde* : Myers suggéra des modifications à R.L.S., qui préféra ne pas en tenir compte. Voir *Essais sur l'art de la fiction*, pp. 405-410.

par le notaire dès le deuxième chapitre consacre à lui seul la relation étrange qui unit Utterson à Hyde : dans la partie de cache-cache à laquelle se livrent Hyde (jeu sur *to hide*, cacher) et Utterson, Jekyll va peu à peu se trouver pris entre deux feux, entre deux doubles qui vont s'entendre pour le battre en brèche. A la fin, miné de l'intérieur par M. Hyde et menacé de l'extérieur par M. Utterson, le Dr Jekyll n'a plus qu'à capituler. Si l'on considère avec Freud que le Sur-Moi est « chargé des pouvoirs du monde intérieur, du Ça[1] », on comprend mieux la puissance dévastatrice de ce jeu de mots initial, qui s'exerce aux dépens du Moi : de ce point de vue, *Le Cas étrange* apparaît comme la dramatisation prémonitoire des découvertes freudiennes sur la topologie de l'inconscient. De fait, lorsqu'il expliquait le texte de Stevenson à ses étudiants américains, Vladimir Nabokov avait recours à des dessins et des schémas pour dresser la carte très freudienne du psychisme divisé du Dr Jekyll[2].

Pour autant, *Le Cas étrange* ne saurait être réduit à un simple reflet ou à l'image annonciatrice de la science du temps : au moment même où naît la psychanalyse, qui vient relayer le darwinisme pour remettre en cause les certitudes morales et religieuses de toute une société, apparaît une série d'œuvres fantastiques venues remettre au goût du jour créatures et créations d'un autre âge. Depuis Oscar Wilde (*Le Portrait de Dorian Gray*, 1891) jusqu'à H.G. Wells (*L'Ile du docteur Moreau*, 1896), sans oublier Bram Stoker (*Dracula*, 1897), on assiste au retour des

1. S. Freud, *Essais de Psychanalyse*, trad. S. Jankélévitch, Payot, 1977, PBP, n° 44, p. 206. Pour une lecture du *Cas étrange* à la lumière des instances de la seconde topique freudienne, voir J.-P. Naugrette, *Robert Louis Stevenson : l'aventure et son double*, Paris, PENS, coll. « Off-Shore », 1987, « Acteurs, instances », pp. 58-62.
2. Voir V. Nabokov, « Le cas étrange du Dr Jekyll et M. Hyde », *Littératures I*, trad. Hélène Pasquier, Fayard, 1983, repris dans Le Livre de Poche, coll. « Biblio Essais », pp. 261-262. A comparer avec le schéma freudien du psychisme humain dans « La décomposition de la personnalité psychique », in *Nouvelles Conférences d'introduction à la psychanalyse*, Folio Essais, Gallimard, 1984, p. 108.

savants fous, des vampires, des monstres, de ces Gorgones, Hydres et autres Chimères que Charles Lamb définissait comme intemporels parce que correspondant à des archétypes en nous[1]. Le fantastique se nourrit des progrès de la science, il dramatise les peurs que celle-ci fait naître dans la société. La découverte du Dr Jekyll a certes une portée scientifique, mais c'est son caractère monstrueux qui est surtout mis en avant, comme si l'auteur du cauchemar avait été horrifié de cette percée dans son inconscient. D'où le retour à des pratiques anciennes, à des images et des mythes qui n'appartiennent pas au XIXᵉ siècle positiviste : avec ces éprouvettes, ces potions et autres poudres avalées en cachette, la chimie pratiquée par le Dr Jekyll est décrite comme alchimie, sa médecine comme « transcendante », sa progression comme régression. La querelle scientifique qui oppose les deux collègues et amis Jekyll et Lanyon au sujet de Hyde semble raviver ainsi le motif faustien du pacte avec le diable suggéré dans *Markheim*. Après s'être « livré en esclavage » à ses « mauvais démons originels », Jekyll-Hyde va tenter d'échanger son pacte infernal, de l'exorciser, auprès d'un ami et collègue qu'il pourrait à son tour asservir. La proposition faite à Lanyon prend un tour explicitement faustien :

> « ... si vous le préférez, un nouveau domaine du savoir et de nouveaux chemins conduisant à la puissance et à la renommée vous seront ouverts, ici même, dans cette pièce, sans plus tarder ; et vos regards seront éblouis d'un prodige capable d'ébranler l'incrédulité de Lucifer » (p. 110).

Jekyll-Hyde échouera. Faute de pouvoir devenir le Méphisto de Lanyon, Jekyll sera condamné à rester le Faust de Hyde.

L'art du récit

Le fantastique stevensonien apparaît donc comme une forme de compromis entre la découverte scientifique du docteur, qui sera vérifiée par Freud quelques

1. Ch. Lamb, « Sorcières, et autres peurs nocturnes », *Essais d'Elia* (1823).

années plus tard, et les exigences d'une religion héritée de l'enfance, qui reste encore très présente dans l'imaginaire du romancier. Il en va de même des rapports entre le rêve et l'écriture.

Dans son essai intitulé « Un chapitre sur les rêves », Stevenson établit en effet un lien profond entre l'activité onirique et la création littéraire, remettant en cause une fois de plus l'unicité du moi conscient. D'après lui, les œuvres signées « Robert Louis Stevenson » ne seraient pas seulement issues du travail conscient de l'écrivain, mais porteraient la marque d'un travail inconscient effectué pendant son sommeil par des « Petites Créatures » ou « brownies », qui, tels des génies domestiques, l'aideraient sans qu'il le sache dans son activité littéraire :

> « Car ce moi — ce que j'appelle "moi", mon ego conscient, l'habitant de la glande pinéale, à moins qu'il n'ait changé de résidence depuis Descartes, l'homme doté d'une conscience et d'un compte en banque sujet à fluctuations [...] — je suis parfois tenté de penser qu'il n'est nullement un raconteur d'histoires, mais un individu aussi terre à terre qu'un marchand de fromages, ou un quelconque fromage, et un réaliste embourbé jusqu'aux oreilles dans l'actualité, de sorte qu'à ce compte l'ensemble de mes fictions publiées doit être le produit exclusif de quelque brownie, de quelque démon familier, de quelque collaborateur invisible que je tiens enfermé dans un arrière-grenier, alors que je reçois toutes les louanges et lui une part seulement (que je ne puis l'empêcher d'avoir) du gâteau. »

Le dédoublement n'est pas seulement chez Stevenson un thème littéraire ou un mythe personnel. Il fait partie du processus même de l'écriture. Quelques lignes plus loin, l'auteur du *Cas étrange* fournit des indications précieuses sur ce travail du rêve dans la genèse de son œuvre :

> « ... la seconde nuit je rêvais la scène à la fenêtre, et une scène qui fut par la suite divisée en deux, dans laquelle Hyde, poursuivi pour un crime, avale la fameuse poudre et subit sa transformation en présence de ses poursuivants. Tout le reste fut composé à l'état

de veille et consciemment, mais je crois y retrouver
beaucoup de la manière des brownies. La signification
de l'histoire est donc bien mienne, elle a longtemps
préexisté dans mon jardin d'Adonis, essayant en vain
de se trouver un corps. En somme, je suis responsable
de l'essentiel de la morale, hélas ! et mes brownies n'ont
pas le moindre rudiment de ce que nous appelons une
conscience. Le décor aussi est mien, et miens sont les
personnages. Tout ce qui me fut donné se résume à la
matière de trois scènes et à l'idée centrale d'un changement volontaire devenant involontaire. M'accusera-
t-on de manquer de générosité si, après avoir libérale-
ment couvert de louanges mes collaborateurs invisibles,
je les jette ici, pieds et poings liés, dans l'arène des
critiques ? Car l'affaire des poudres n'est nullement la
mienne, je le dis avec soulagement, mais appartient en
propre aux brownies [1] ».

Non seulement la reconnaissance du travail onirique
tend à remettre en question le « moi » de l'auteur
conscient, mais les relations que ce dernier entretient
avec ses « brownies » rappellent celles qui unissent le
Dr Jekyll à M. Hyde, lui aussi défini comme totalement dépourvu de sens moral. Relations hautement
ambiguës, pour peu que les « brownies » soient à Stevenson ce que Hyde est à Jekyll. Comme Hyde, ces
petites créatures ont le pouvoir d'apporter à l'écrivain
quelque chose d'original, de neuf, voire des images
susceptibles d'irriguer son imagination en la libérant,
en l'affranchissant des contraintes de la censure [2] :
mais le problème est qu'elles n'ont pas de conscience.
Comme Jekyll, l'écrivain est en revanche doté de sens
moral, mais le problème qui risque alors de se poser à
lui est un manque de créativité, un refoulement trop
visible de ce que le scénario original concocté par les
« brownies » pouvait avoir d'immoral : d'où cet aveu
paradoxal de responsabilité, suivi d'un « hélas ! » qui
pourrait surprendre s'il ne suggérait pas la crainte,
pour l'écrivain, d'avoir perdu en imagination ce qu'il
aurait gagné en morale.

1. R.L.S., « Un chapitre sur les rêves », *op. cit.*, pp. 364-365.
2. On lira les rêves racontés (à la troisième personne) par R.L.S.
dans « Un chapitre... », qui sont explicitement œdipiens.

Du même coup le rôle de censeur[1] attribué à Fanny se trouve relativisé : Stevenson avait déjà fort à faire avec ses propres contradictions, tiraillé comme il l'était entre les formidables capacités créatrices de l'inconscient, qu'il décela dès 1887, et la nécessité de proposer, en pleine période victorienne, une morale convenable. Tiraillé aussi entre la « sensation » à produire et la visée allégorique, seule susceptible de transformer l'expérience du Dr Jekyll en message universel. Entre les « brownies » et l'« ego conscient » de l'écrivain. Cet écartèlement, qui fait du *Cas étrange*, tel qu'on le lit aujourd'hui, un compromis entre plusieurs versions possibles, a pu déranger les critiques. Dès 1886, l'écrivain et critique américain W.D. Howells reprochait à Stevenson sa distinction simpliste entre « le moi moral » représenté par Jekyll et « le moi immoral » ou « méchant » incarné par Hyde, regrettant cette tendance à l'allégorie[2]. On peut bien sûr continuer de déplorer la perte du premier scénario, et constater que ce processus de réécritures successives semble aller dans le sens d'une auto-censure grandissante, comme si le rôle des « brownies » s'était amenuisé au fur et à mesure que la conscience morale de l'écrivain reprenait le dessus. L'état actuel du texte, après le travail de refoulement qui s'est opéré, permet pourtant au lecteur d'aujourd'hui d'échafauder une pluralité d'hypothèses. Quels sont, par exemple, les plaisirs auxquels

1. On s'est longtemps appuyé sur une nouvelle de R.L.S. (« Thorgunna la solitaire », *The Waif Woman*), et une (« L'auteur de *Beltraffio* ») de Henry James pour y voir une peinture déguisée des dissensions entre Fanny et son mari, ainsi qu'une image peu flatteuse de la première comme femme autoritaire, voire « castratrice ». Voir par exemple J.-M. Carré, *La Vie de R.L. Stevenson*, Paris, Gallimard, 1929. On tend aujourd'hui à voir leurs relations de manière plus équilibrée, et à considérer que si Fanny était incontestablement une femme d'autorité (mais après tout, c'est elle qui avait sauvé R.L.S. en Californie), son caractère « masculin » pouvait trouver des échos dans certains traits « féminins » de R.L.S., qui présentait à bien des égards des traits d'homosexualité refoulée.
2. W.D. Howells, « "Negative Realism" : Stevenson, Balzac », *Harper's Monthly*, mai 1886, in *W.D. Howells as Critic*, Londres, Routledge & Kegan Paul, 1973, p. 81.

s'adonne Jekyll-Hyde ? Si l'on suit le texte, et rien que
lui, on ne saura d'eux que fort peu de choses :

> « J'étais encore parfois disposé à m'amuser ; et [...]
> mes plaisirs étaient (pour ne pas dire plus) peu relevés
> [...] Les plaisirs que je m'empressai de rechercher sous
> mon déguisement étaient, comme je l'ai dit, peu rele-
> vés, pour n'user point d'un terme plus sévère. Mais
> entre les mains d'Edward Hyde, ils ne tardèrent pas à
> tourner au monstrueux. En revenant de ces expédi-
> tions, j'étais souvent plongé dans une sorte de stupeur,
> à me voir si dépravé par procuration » (pp. 119-120).

« Pour ne pas dire plus », « pour n'user point »...
S'agit-il d'un handicap du scénario ou d'une ruse du
narrateur ? D'une ruse, plutôt, car comme le notait
Marcel Schwob, l'un des premiers critiques français
de son œuvre et l'un de ses premiers admirateurs, l'art
de Stevenson « consiste à ne point dire[1] ». L'erreur
profonde de la plupart des adaptations cinématographiques du roman est de chercher à expliciter ce qui
reste suggéré, voire caché dans le texte. Dans sa version de 1941, Victor Fleming n'hésite pas à flanquer
Jekyll (Spencer Tracy) de deux femmes, l'une qui
incarne la respectabilité, avec laquelle il va bientôt se
marier (Lana Turner), l'autre qui représente l'immo-
ralité, et que le docteur va bientôt maltraiter (Ingrid
Bergman) : en somme, il s'agit de créer, avec la fille de
la bonne société et la fille des rues, avec la demoiselle
de la bourgeoisie et la danseuse de cabaret, la projec-
tion de Jekyll-Hyde à travers deux femmes désirables
— chacune à sa manière. Spencer Tracy est incontestablement un Jekyll-Hyde saisissant, mais le traitement
que fait subir Hollywood au roman[2] tend à gommer

---

1. M. Schwob, « Robert Louis Stevenson », *Spicilège*, Mercure de
France, 1896, et *M. Schwob-R.L. Stevenson : correspondances*, Paris,
Allia, 1992, p. 80. Schwob consacra quatre essais à R.L.S., qui lui
adressa quatre lettres, mais les deux écrivains ne devaient jamais se
rencontrer.
2. Voir J.L. Borges, « Métamorphoses du Docteur Jekyll et d'Edward Hyde », *Discussion*, Paris, Gallimard, 1966. Sur l'adaptation de
Rouben Mamoulian (1932), voir *Dr Jekyll and Mr Hyde after One
Hundred Years*, pp. 283-307.

l'ambiguïté du texte. Dans ce dernier, en effet, la femme, comme objet d'amour ou de désir sexuel explicite, est bel et bien absente. Le piétinement de la fillette par Hyde, tel qu'il est décrit par M. Enfield au premier chapitre (« A Propos d'une porte »), semble seulement l'image déguisée d'un viol : comme le feront par la suite Fritz Lang dans *M. le Maudit* (le ballon de la petite fille qui éclate) ou Alfred Hitchcock dans *L'Inconnu du Nord-Express* (les lunettes brisées dans l'herbe), Stevenson préfère la partie au tout, la suggestion à la description. Comme Schwob le remarquait, l'essentiel tient à cette technique qui repose sur le choix d'une image, d'une partie ou d'un détail susceptibles de frapper l'imagination du lecteur. L'activité consciente de l'écrivain ne saurait se réduire au simple refoulement des pulsions librement exprimées par les petites créatures : il s'agit d'une esthétique, que Stevenson fait remonter lui-même aux romanciers anglais du XVIIIe siècle, et notamment à Defoe. L'objectif du romancier, selon lui, est avant tout d'impressionner le lecteur par des scènes soigneusement choisies :

> « Nous pouvons oublier tout le reste, oublier les mots, même s'ils sont magnifiques, oublier les commentaires de l'auteur, même s'ils sont pertinents — mais ces scènes qui font date marquent une histoire du sceau de la vérité et comblent, d'un seul coup, notre capacité d'adhésion, nous les recueillons au plus secret de notre esprit, là où ni le temps ni le monde ne peuvent en effacer, ou atténuer, la trace. Tel est donc le pouvoir plastique de la littérature : incarner un personnage, une pensée, une émotion, dans une action, ou une attitude qui frappe les esprits, pour s'y imprimer à jamais[1]. »

La porte sordide qui donne sur la petite rue, le pas insolite de Hyde, la main velue que perçoit Jekyll sur ses draps sont autant d'impressions produites sur le lecteur du *Cas étrange*, d'images dramatiques, sans doute parce qu'elles en disent long sans pour autant tout dire.

1. R.L.S., « A bâtons rompus sur le roman », *Essais sur l'art de la fiction*, p. 210.

En l'occurrence, l'image de la fillette piétinée pose à elle seule plus de questions qu'elle ne fournit de réponses. Si l'on rapproche cet épisode de la scène évoquée par le Dr Jekyll dans sa confession finale — il rapporte (p. 129) comment Hyde a frappé au visage une marchande d'allumettes — l'image d'un viol déguisé se replace dans le cadre d'une haine généralisée vis-à-vis de la femme, qui fait l'objet d'une violence rentrée, ou se trouve la plupart du temps caricaturée dans le roman : une jeune fille aux dispositions romanesques, qui perd connaissance en voyant Hyde tuer Sir Danvers, ou au contraire une vieille femme hideuse de Soho, qui se réjouit des ennuis du même Hyde, apparaissent par exemple à quelques pages de distance. Ce serait ainsi une erreur de lire seulement *Le Cas étrange* comme l'équivalent littéraire des meurtres commis par Jack l'Éventreur deux années plus tard dans le quartier de Whitechapel : alors que le plus célèbre assassin de l'époque victorienne tue plusieurs prostituées avant de disparaître, Hyde, lui, ne tue qu'une seule fois, et sa victime est un respectable gentleman à cheveux blancs. Là où Pierre Mac Orlan, dans un texte daté de 1946, voyait Hyde nouer « la peur comme une écharpe crasseuse, autour des filles attardées [1] », ce qui, bien sûr, ne correspond absolument pas à la lettre du roman de Stevenson, nombre de critiques avancent aujourd'hui l'hypothèse de l'homosexualité, en s'appuyant sur les ambiguïtés du texte, notamment de certains mots curieux utilisés par Stevenson [2]. Discret et sans doute, de ce fait, typique

1. P. Mac Orlan, « Robert Louis Stevenson » (Août 1946), Préface à l'édition du *Cas étrange* citée note 3 p. 14, p. 18.
2. Comme le mot « protégé » (en français dans le texte) utilisé par Utterson pour désigner Hyde à Lanyon, qui emploie encore l'expression « étrange prédilection » ou « sujétion » pour désigner les relations entre son ami et Hyde. Notons qu'il pourrait s'agir là d'un fantasme — homosexuel — du notaire lui-même. Stephen Gwynn (cité par Nabokov, p. 273) a été l'un des premiers (1939) à relier l'omniprésence des figures masculines du roman à l'hypothèse d'une homosexualité généralisée. Cette lecture a été reprise et amplifiée (1988) par William Veeder dans son article intitulé « Children of the Night : Stevenson and Patriarchy » (in *Dr Jekyll and Mr Hyde after One Hundred Years*, pp. 107-160).

d'un texte tout victorien, *Le Cas étrange* est avant tout suggestif : la rareté des indices invite le lecteur à fournir sa propre interprétation, ou bien à donner cours à ses fantasmes. Dans les années 1940, Fleming et Mac Orlan considèrent les méfaits de Hyde comme ceux d'un sadique s'attaquant aux femmes ; on privilégie au cours des années 1980 (Charyn, Veeder) l'hypothèse d'une homosexualité de Jekyll-Hyde — et d'autres personnages. Ces lectures ne sont pas contradictoires : dans les deux cas, la femme est perçue comme objet de haine ou de rejet, ce que confirment d'ailleurs d'autres romans de Stevenson[1]. La différence entre ces points de vue est finalement plus d'ordre esthétique que thématique. Chez Jack l'Eventreur, la haine envers la femme (et peut-être, en définitive, de la mère[2]) est exprimée jusqu'au paroxysme. Dans *Le Cas étrange*, la même idée apparaît, mais elle reste imprimée dans l'esprit du lecteur. L'irritation ressentie par Nabokov face à ce halo d'incertitude qui entoure les aventures de Jekyll[3] ne doit pas faire oublier que Stevenson y a trouvé l'esthétique de sa morale. On peut se sentir frustré de ne pas en savoir plus, mais à

1. On se souvient que Lloyd Osbourne, le beau-fils de R.L.S., avait demandé à ce dernier que les femmes soient exclues de *L'Ile au trésor*. Henry James a raison de dire que les femmes restent « en coulisse » pour ce qui est du *Cas étrange* (*op. cit.* note 1, p. 24), mais autant il est faux de montrer au cinéma des femmes qui sont absentes du texte, autant il serait faux de dire qu'elles sont totalement absentes de ce dernier, même si elles sont caricaturées.

2. Voir le film de Fritz Lang *La Cinquième Victime* (*When the city sleeps*, 1955), où le lien entre la haine de la femme et celle de la mère est bien montré, sur fond d'homosexualité masculine. Le jeune tueur qui s'acharne sur des jeunes femmes y est décrit comme féminisé par une mère abusive, et signe ses crimes par l'inscription « Demandez à maman » (*Ask mother*). L'hypothèse de crimes émanant d'un homosexuel a également été avancée pour Jack l'Eventreur.

3. Selon Nabokov, « le bon lecteur ne peut pas être tout à fait satisfait du flou qui enrobe les aventures de Jekyll » (*op. cit.*, p. 273). On peut discuter cette affirmation, mais Nabokov a raison lorsqu'il rappelle que la question de la sexualité fait partie d'un ensemble plus vaste, à savoir la propension qu'a M. Hyde à infliger le mal, comme l'explique d'ailleurs le Dr Jekyll.

lire le roman aujourd'hui, un siècle après la mort de son auteur, il apparaît que la richesse des interprétations qu'il suscite tient précisément à cet art du récit tout en retenue, en suspens, en ambiguïté.

Style, genre, structure

Le Cas étrange est un texte étrange. Cette étrangeté, parfois inquiétante, tient sans doute au contraste, à l'écart, au jeu — qui peuvent aller parfois jusqu'à la discordance — entre une thématique fin de siècle et une esthétique héritée de temps plus anciens. Tant sur le plan social, sexuel que moral, Stevenson est à l'écoute des peurs de son époque. Mais à lire ses *Essais sur l'art du roman*, on sent que ses modèles littéraires sont antérieurs, qu'ils remontent au XVIIIe, au XVIIe siècles, voire au-delà. Marcel Schwob ne s'y était pas trompé, qui écrivait dès 1888 :

> « Si Stevenson relève d'une tradition quelconque, ce n'est pas de la morbide névrose que Poe nous a inoculée, mais des idées saines et spirituelles du XVIIIe siècle, des Swift, des Smollett, des de Foe et des Sterne. Greffez sur la prose nette et limpide de cette époque un bourgeon d'originalité fantasque, une fleur de coloris romantique, et vous aurez le style de Stevenson[1]. »

Ce à quoi Stevenson, dans sa première lettre à Schwob, écrite un an plus tard, devait faire écho en déclarant : « Ah oui, vous avez raison, j'aime le dix-huitième siècle[2]... » Du vivant de l'auteur, *Le Cas étrange* frappait déjà par l'abondance de ses archaïsmes. Dans son essai de 1887, Henry James disait : « Avant toute chose, c'est un écrivain qui a un style — un modèle avec toutes sortes de parures curieuses et pittoresques[3]. » Aujourd'hui encore,

---

1. M. Schwob, « Robert L. Stevenson », *Le Phare de la Loire*, 27 août 1888, repris dans l'édition précitée note 1 p. 22, p. 59.
2. R.L.S., lettre d'Honolulu datée du 8 février 1889, *ibid.*, p. 45.
3. H. James, *op. cit. supra* note 1 p. 9, p. 8.

même si l'inquiétante étrangeté des errances urbaines de Hyde est moins frappante qu'il y a un siècle, les mots, eux, dérangent. Comment lire la scène qui précède le meurtre de Sir Danvers Carew sans être frappé par l'ambiguïté du verbe « aborder » (*to accost*) utilisé dans pareil contexte [1] ? L'équivoque vient ici de l'archaïsme, qu'on trouve déjà dans Shakespeare et *La Nuit des rois* (I, 3). De même, si le nom de « Hyde » renvoie explicitement, grâce au jeu de mots du notaire, à quelque chose de caché ou de refoulé, le nom complet, « Edward Hyde », est troublant. Il appartient en effet à un grand homme d'Etat du XVIIᵉ siècle anglais, le comte de Clarendon (1609-1674), qui servit le roi Charles Iᵉʳ puis son fils pendant la guerre civile et la Restauration. Or le choix de Stevenson — un nom aussi célèbre pour un si piètre personnage — n'est certainement pas le fait du hasard : il suffit d'imaginer en France une histoire dont le héros malfaisant aurait pour nom « Saint-Simon »... Pareil contraste sert bien sûr des fins ironiques. Remarquons que le motif du dédoublement est inscrit, comme pour le cas étrange du docteur, dans une pluralité de noms qui équivaut à une multiplication des identités : comte de Clarendon mais aussi Edward Hyde, Lord Chancelier d'Angleterre (1658-1667) mais aussi courtisan disgracié, puis exilé (en France), conseiller de Charles Iᵉʳ mais aussi de Charles II, etc. Le motif de la descendance est également exploité : Edward Hyde eut un fils, qu'il pré-

---

1. Voir W. Veeder, *op. cit. supra* note 2 p. 24, p. 127. Il reste cependant à concilier cette interprétation avec l'hypothèse d'un Hyde homosexuel : car dans ce cas, pourquoi rejeter aussi brutalement la « proposition » de Sir Danvers ? R. Dury préfère voir dans l'ambiguïté de l'expression « sortie de derrière » (*back way*) utilisée pour qualifier la porte qui donne sur la ruelle l'indice d'une relation potentiellement homosexuelle entre Hyde et Jekyll, ce que tendent à confirmer les images de creux et de caverne (p. 123) utilisées par le docteur pour qualifier l'usage que fait Hyde de Jekyll. Voir Dury, *op. cit.*, pp. 74-75. Sir Danvers est sans doute une figure trop explicitement paternelle pour être acceptée comme partenaire : une fois encore, les connotations sexuelles sont internes au couple Jekyll-Hyde, et non pas extériorisées. Voir p. 131, par exemple.

nomma Henry. Or Henry est le prénom du Dr Jekyll,
qui compare, dans sa confession, la naissance de Hyde
à un véritable accouchement, une sortie hors « du sein
déchiré de la conscience » (p. 115), dans un Moi
devenu matrice, puis caverne ou abri pour cet être
monstrueux qui pourrait être son fils... L'ironie de la
référence historique porte donc sur le personnage
même de Jekyll, qui n'aura pas de descendance et ne
pourra léguer ses biens à l'enfant conçu dans sa conscience et couché dans un premier temps sur son testament : le fils du comte de Clarendon, lui, s'appelait
Henry Hyde, réunion onomastique des contraires,
fusion symbolique que Jekyll n'aura jamais réussi à
parfaire.

   Le comte de Clarendon est également connu
comme auteur d'une autobiographie *(Vie d'Edward,
comte de Clarendon, écrite par lui-même)* dans laquelle il
parle de lui en disant indifféremment « Clarendon »,
« M. Hyde » ou — le plus souvent — « Il ». Or dans
l'exposé complet que le Dr Jekyll fait de son cas dans
le dernier chapitre du roman, la première personne du
narrateur devient de plus en plus précaire à mesure
que Hyde est en train de l'envahir : inaugurée par un
« Je » résolu à ne rien taire de sa difficulté à vivre,
l'auto-analyse du Dr Jekyll est peu à peu minée de
l'intérieur par les assauts répétés de Hyde dans son
discours même, au point que la première personne
initiale cède bientôt le pas devant une troisième qui
finit par l'emporter. Dans un premier temps, Jekyll
prend soin de préciser que Hyde appartient au registre
grammatical de la troisième personne, et non de la
première[1], mais il ne peut maintenir longtemps cette
distinction et se voit obligé de dire « Henry Jekyll » —
comme Clarendon, dans ses Mémoires, parlait de
« Clarendon » — pour parler de lui-même. Le texte
final, encadré par les deux appellations, « Je » et
« Henry Jekyll », rend bien compte de la métamorphose qui s'est opérée dans l'intervalle sous les yeux

---

   1. « Il, dis-je, et non pas : je » (p. 129). Voir aussi la première
partie du « Chapitre sur les rêves », écrite par R.L.S. à la troisième
personne alors qu'il parle de lui-même.

du lecteur, c'est-à-dire dans le temps même de sa lecture : la fin du texte, c'est la fin de celui qui, bientôt, ne pourra même plus parler en son nom propre. Devenu irrémédiablement une troisième personne pour lui-même, Henry Jekyll met fin à ses jours en posant la plume, tant qu'il est encore temps, tant que c'est encore « lui » (même si ce n'est plus « je ») qui parle. L'auto-analyse, loin d'être libératrice, se transforme en suicide littéraire. Une phrase de plus, et l'impensable, l'inconcevable, l'innommable aurait pu se produire : que Hyde prenne la parole, dise « je ». Du point de vue du docteur, ce qui va suivre ne le concerne déjà plus : lors de la « Dernière Nuit », c'est Hyde qui se suicide physiquement, en tant que meurtrier recherché par la police, et non lui. Stevenson joue ici avec les nerfs et l'imagination du lecteur, qui se prend à rêver d'une suite où Hyde ferait le récit du temps écoulé entre le suicide de Jekyll et le sien. Un onzième chapitre, en quelque sorte... Mais pas plus que le monstre de *Frankenstein* ou le comte, dans *Dracula*, ne disposent d'une instance narrative propre, Hyde ne pourra écrire ici ses Mémoires. La crainte que M. Hyde pourrait faire naître n'est pas d'ordre moral, sexuel ou social, mais d'ordre littéraire, narratif, grammatical. Et Stevenson se garde de franchir le pas. Edward Hyde aura seulement le temps de pousser un cri avant de mourir.

L'étrangeté du *Cas étrange* vient aussi de la difficulté souvent rencontrée dès qu'on tente de le définir, de le ranger dans une catégorie littéraire donnée. Très tôt, il est perçu ainsi en France comme un « roman étrange », dans lequel le merveilleux se mêle à la science, et où la psychologie revêt une allure sensationnelle[1] : le romancier écossais se définit ici par

1. Th. Bentzon (Thérèse de Solms, ou Mme Blanc, dite « Thérèse »), « Le roman étrange en Angleterre : Robert Louis Stevenson », *Revue des Deux Mondes*, 1er avril 1888, p. 581. Cette insistance sur le sensationnel correspond parfaitement aux intentions de R.L.S.

« le sentiment du fantastique, le goût du surnaturel, la préoccupation des lois morales, des problèmes philosophiques », mais aussi par une « gaîté morose, *grim humour*, qui déconcerte et qui attache à la fois [...] Sa vie errante a formé une personnalité très curieuse, très moderne et franchement excentrique[1]... » *Le Cas étrange* serait donc le reflet de la double personnalité de son auteur, c'est-à-dire d'une série de contrastes[2]. Quelques mois plus tard, le roman est rattaché par le même critique à un genre radicalement nouveau, explicitement hybride : le « psychologico-fantastique[3] », double appellation qui a le mérite de cristalliser les oppositions relevées plus haut entre le scientifique et le merveilleux, la morale et le surnaturel, la philosophie et le sensationnel, la psychologie et le fantastique. En tout cas, l'étiquette « conte fantastique[4] » qui lui a été appliquée, ne suffit pas à embrasser la multiplicité des genres dont participe le texte. Roman étrange décidément, dont la déroutante diversité retentit jusque sur la perception qu'ont les personnages du « cas étrange » du docteur et sur l'intrigue elle-même. Stevenson joue ainsi sur le mot « cas » *(case)*, qui outre le titre apparaît à deux reprises en tête de chapitre, mais dans des sens radicalement différents. Au chapitre IV, il s'agit d'un « cas » au sens policier du terme, « L'assassinat de Sir Danvers Carew » *(The Carew Murder Case)*. Au chapitre X, il s'agit au contraire d'un « cas » au sens presque psychanalytique du terme, avec l'exposé complet que fait Henry Jekyll de son cas *(Henry Jekyll's Full Statement of the Case)*. Or, tout le problème de M. Utterson, ce

---

1. *Ibid.*, p. 552.
2. Dans sa troisième lettre à Schwob, datée du 19 janvier 1891, R.L.S. se définit comme « artiste pour 55/100 et aventurier pour 45/100 » (*M. Schwob-R.L. Stevenson : correspondances*, p. 52).
3. Th. Bentzon, « Les Gais Compagnons », *Revue des Deux Mondes*, 1er septembre 1889, p. 94.
4. Qu'utilisera par exemple André Gide dans sa conférence du Vieux-Colombier consacrée à Dostoïevski (Plon, 1923).

notaire ami du Dr Jekyll qui s'est promu lui-même
détective dès le second chapitre, et qui est l'agent
principal de l'action, vient du fait qu'il ne conçoit le
« cas » étrange de son client qu'en termes policiers
(effraction, vol, chantage), jamais en termes psycho-
logiques, encore moins fantastiques. L'indécision ou
l'opacité du genre a donc des conséquences ironiques
(pour le notaire) et tragiques (pour le docteur) sur le
déroulement de l'action : Utterson joue les détectives
au sein d'une histoire qui dépasse largement le cadre
du roman policier, même si certaines conventions du
genre sont reprises [1]. En ne donnant pas à son notaire-
détective les moyens de saisir dans quelle affaire il
s'engage, Stevenson accentue le contraste entre le
positivisme ambiant et la science psychologique nais-
sante, encore inacceptable comme telle, et vouée, par
conséquent, à endosser les habits inquiétants du fantastique. « *Dr Jekyll et M. Hyde*, disait G. K. Chesterton, triomphe doublement : il provoque une excitation
externe qui relève de Conan Doyle, doublée d'une
excitation interne qui relève de Henry James [2]. » Le
notaire a précisément le tort de s'attacher à la seule
enveloppe externe, à la surface de l'histoire, au caractère sensationnel des méfaits de Hyde, qui font la une
des journaux. M. Utterson joue les Sherlock Holmes,
mais son enquête n'aboutit en apparence (Hyde s'est
suicidé) que pour mieux échouer en profondeur
(Jekyll est mort). Le détective de Stevenson s'est
trompé d'histoire, et peut-être d'époque : il se croyait
encore au XIXe siècle, alors qu'on était déjà au XXe.

1. Ainsi l'inspecteur de Scotland Yard, dont le nom (Newcomen
= *Newcomer*, le « nouveau venu » ?) semble indiquer, comme chez
Conan Doyle, qu'il est un incapable. Dans sa conférence sur « Le
roman policier », Borges a raison de souligner que les lecteurs du
Cas étrange, ne serait-ce qu'en raison du double titre, savent que
« tous deux sont une seule et même personne », ce qui constitue une
supériorité écrasante sur le notaire, qui n'a pas accès à ce titre. Voir
J. L. Borges, *Conférences*, trad. Françoise Rosset, Folio Essais, Gallimard, 1985, p. 197.
2. G. K. Chesterton, *The Victorian Age in Literature*, 1913,
Londres, Oxford U.P., 1961, p. 149, notre traduction.

Freud a pris le relais de Sherlock Holmes : l'enquêteur des temps modernes sera analyste ou ne sera pas.

Dès lors, l'ensemble du roman fait l'effet d'un trompe-l'œil. Des chapitres I à VIII, l'action, dominée par le jeu de « cache-cache » auquel se livrent Utterson et Hyde, s'achève sur la mort ironiquement tragique de Jekyll, le notaire ignorant qu'il est responsable de la disparition de son ami. L'art de Stevenson consiste, dans cette première partie, à faire coïncider le regard du lecteur avec celui du notaire, dont le point de vue extérieur domine la narration, tout en parsemant le récit d'indices inquiétants qui ont pour fonction de lui suggérer — au lecteur, pas au notaire — qu'il est en train de lire autre chose qu'un roman policier à la manière de Conan Doyle. Certains personnages se rencontrent ainsi à intervalles réguliers, dans les mêmes lieux, et de façon symétrique : Utterson et Enfield dans la ruelle (Chap. I et VII), Utterson se rendant chez Lanyon (Chap. II et VI), Utterson seul avec Jekyll (Chap. III et V)... A l'intérieur de cette structure en miroir, le chapitre IV — où Hyde assassine Sir Danvers Carew, à l'exacte moitié de la séquence — s'avère central, car non seulement le notaire y est conforté dans son idée que le « cas étrange » relève de l'investigation criminelle puisque Hyde a commis un meurtre, mais surtout son nom apparaît pour la première fois directement lié au mystère : la lettre que Sir Danvers allait poster avant d'être sauvagement assassiné par Hyde était en effet adressée à M. Utterson, et l'on apprend que la canne avec laquelle le meurtre a été commis n'est autre qu'un cadeau offert à Jekyll par le notaire... L'enquêteur apparaît donc sous un autre angle, non pas détaché des événements, objectif, mais impliqué, subjectif, puisqu'il se situe aux deux extrémités de la chaîne : Utterson a donné la canne à Jekyll, qui l'a transmise à Hyde, lequel s'en est servi pour tuer Sir Danvers, lequel allait poster une lettre à Utterson.

Le même chapitre annonce un emballement des événements, qui se répètent à une vitesse croissante. Entre les chapitres I et VII, le mystère de la porte n'est éclairci par Utterson et Enfield que pour laisser entre-voir une plus grande énigme, avec Jekyll qui se méta-morphose pratiquement sous leurs yeux, à la fenêtre. Entre les chapitres II et VI, deuxième visite d'Utterson chez Lanyon, mais cette fois Lanyon est mourant, mystère qui ne sera résolu qu'en dehors de la séquence, au chapitre IX. Entre les chapitres III et V, enfin, le docteur serein a fait place à un homme terrorisé par le méfait que M. Hyde vient de commettre. La courbe terrifiante de cette structure circulaire, spiralée, ne prend fin qu'avec l'ouverture ou la découverte des documents, lettres ou manuscrits qui vont consacrer la fin du trompe-l'œil, le passage d'un point de vue externe à un point de vue interne, de la troisième à la première personne.

Correspondances

On écrit beaucoup dans *Le Cas étrange*. La décou-verte ou l'ouverture de plis cachetés, qui inaugure la deuxième séquence (Chap. IX et X), est en effet pré-cédée par toute une série de lettres, de billets ou de correspondances variées autour de laquelle s'organise le mystère : le chèque produit par Hyde lors de son arrestation, qui porte une signature mystérieuse que M. Enfield se refuse à mentionner (Chap. I) ; le testa-ment du Dr Jekyll, qui contient une clause énigma-tique que le notaire a peine à accepter (Chap. II), et dont il reparle à Jekyll quinze jours plus tard (Chap. III) ; l'enveloppe « cachetée et timbrée » re-trouvée sur Sir Danvers, qui porte l'adresse de M. Utterson, et dont le contenu ne sera jamais révélé (Chap. IV) ; la lettre reçue par le Dr Jekyll, qui dans un premier temps rassure le notaire puisqu'elle vient modifier quelque peu le testament, mais pour mieux accroître ses inquiétudes lorsqu'il découvre que l'écri-ture de Hyde ressemble à celle de son ami (Chap. V) ; la mystérieuse enveloppe libellée de la main du Dr Lanyon, que le notaire examine dans son cabinet de travail, et qui renferme un autre pli dans lequel est évoquée la mort *ou* la disparition du Dr Henry Jekyll, au grand effarement du notaire (Chap. VI) ; lors de la « Dernière Nuit » (Chap. VIII), l'étrange billet que montre Poole à Utterson, dans lequel le Dr Jekyll, désespéré, réclame un échantillon de poudre à son fournisseur habituel ; enfin, après l'assaut final contre Hyde, sur la table de travail de Jekyll, cette « grande enveloppe » portant, écrit de la main du docteur, le nom de M. Utterson, qui fournira au notaire la clef du mystère. Stevenson joue ici non seulement sur la circulation ou la circularité des communications épistolaires (Jekyll-Hyde avec le chèque et la lettre, Jekyll-Utterson avec les deux testaments, puis la confession finale, Lanyon-Utterson avec l'enveloppe cachetée, etc.), mais aussi sur la dissimulation ou l'emboîtement des messages, selon que les textes lus ou échangés sont clairs ou codés, selon que les paquets sont ouverts ou fermés, selon que les plis sont publics ou cachetés. L'héritage d'Edgar Poe et de sa célèbre « Lettre volée » (1845) se mesure à ce double jeu sur la communication et le secret, l'échange et la rétention, la surface et la profondeur. On écrit, on s'écrit beaucoup, mais on ne dit pas tout : le chèque produit par Hyde porte le nom de la banque Coutts, mais M. Enfield préfère taire le nom du signataire. Plus tard, Utterson trouvera chez Hyde « le talon d'un carnet de chèques vierge » (p. 71), mais pas le carnet. Quant au Dr Jekyll, il dit avoir reçu une lettre, mais le notaire, après enquête, s'aperçoit qu'elle n'a pu arriver par le courrier normal, et que cette lettre *vient de l'intérieur* de la maison du docteur, tout comme la signature de Hyde vient probablement de la main même de Jekyll. La lettre en question devient alors un « incident » (chap. V) à elle toute seule. On écrit, on s'écrit, mais dans tous les sens, dans un désordre affolant : les lettres timbrées et cachetées comme celle de Carew à Utterson ne sont pas postées, les lettres qui ne passent pas par la poste, comme celle de Hyde à Jekyll, elles, arrivent. La fréquence des échanges épistolaires et des transmissions de documents est inversement proportionnelle à la clarté des messages ou à la facilité avec laquelle le destinataire peut les lire : l'enveloppe que le Dr Lanyon mourant a confiée au « seul » J.G. Utterson est bien destinée au notaire, mais elle apparaît très vite tellement bardée d'interdits et d'avertissements divers (cachet, pli, sceau) que la confiance accordée à l'homme de loi se retourne vite en méfiance vis-à-vis de la personne privée, dont la curiosité malsaine pourrait bien s'illustrer à cette occasion. Faut-il ouvrir l'enveloppe ? se demande M. Utterson. Dans ce roman où la circulation de l'écrit tend à remplacer la communication entre les hommes, « le déplacement du signifiant détermine les sujets dans leurs actes, dans leur destin, dans leurs refus, dans leurs aveuglements, dans leur succès et dans leur sort[1] ». Malgré cette curiosité maladive qui le caractérise, M. Utterson hésite, comme si de l'ouverture ou de la fermeture d'un paquet pouvait dépendre la vie d'un homme : « J'ai déjà enterré un ami aujourd'hui [...] ; qui sait si ce papier ne va pas m'en coûter un second ? » (p. 82). Le notaire meurt d'envie de l'ouvrir, mais n'a pas envie que quelqu'un meure ce faisant. Le suspense repose chez Stevenson sur la volonté de se démarquer du roman policier traditionnel et d'amorcer une fable sur la communication moderne : la question n'est pas de savoir qui a tué Sir Danvers, ni comment, mais plutôt de comprendre « la chaîne symbolique[2] » qui relie les principaux acteurs du drame. Du même coup, une fois l'enquête policière du notaire épuisée, c'est la découverte, puis l'ouverture de deux documents, qui font l'événement dans les deux derniers chapitres du roman. L'ironie est alors d'autant plus grande, qui

---

1. Jacques Lacan, « Le séminaire sur "La Lettre volée" », *Écrits I*, Paris, Seuil, coll. « Points », 1966, p. 40. Lacan dit encore que « le signifiant [...] matérialise l'instance de la mort » (p. 33), formule qui pourrait s'appliquer aussi au *Cas étrange* : pour le notaire, voir son nom sur le testament du docteur et lire les manuscrits signifie que Jekyll-Hyde est mort.

2. *Ibid.*, p. 19.

consiste à subordonner la résolution finale du mystère
à l'ouverture, par l'enquêteur lui-même, d'une série de
plis qui l'attendent, comme autant de jalons, dans la
pièce même où gît le meurtrier. Roman policier paradoxal, dans lequel le criminel recherché par la police
apparaît comme la victime de son meilleur ami, qui
n'a rien compris à son « cas ». Dans lequel le dernier
geste du détective est d'emporter sous le bras des
documents qu'il va lire tranquillement, chez lui, au
coin du feu, occupant ainsi la position de lecteur.
Après un tel gâchis, c'est bien la meilleure chose que le
brave notaire, innocent aux mains pleines, puisse faire.
Sa lecture devient alors la nôtre, et avec l'ouverture
des deux manuscrits, il disparaît définitivement du
récit.

Trois labyrinthes

Le Cas étrange est occupé par trois labyrinthes. Le
premier est celui de l'espace urbain, tel qu'il apparaît
lors de la rêverie du notaire au second chapitre — où
le mot est prononcé (p. 56) — et à travers toutes les
descriptions de la ville. L'action se situe officiellement
à Londres (Soho, Cavendish Square, Regent's Park,
etc.), mais on sait que Stevenson s'est largement inspiré de la ville d'Edimbourg qu'il a connue dans sa
jeunesse, ville double, sombre et labyrinthique [1] : d'où
peut-être aussi cette présence d'un docteur « doué
d'un fort accent d'Edimbourg » (p. 48) dans les rues
de Londres, dès le premier chapitre. Comme dans ses
Nouvelles Mille et Une Nuits (1882-1885), Stevenson
donne dans *Le Cas étrange* l'image inquiétante d'une

---

1. La ville d'Edimbourg est divisée en « Vieille Ville » (*Old
Town*) et « Nouvelle Ville » (*New Town*). R.L.S. était fasciné par
l'enchevêtrement de la première, dans ce quartier médiéval qui
s'adosse au château : c'est là qu'il allait chercher, jeune étudiant, des
plaisirs peu recommandables pour un fils de cette bourgeoisie qui
habitait plutôt « New Town », le quartier géorgien qui commence au
pied des remparts, et qui était celui de ses parents. Sur cette
opposition, voir *Edinburgh : Picturesque Notes*, et notamment « Old
Town : The Lands », où cette partie de la ville est comparée à un
labyrinthe.

ville aux contours mal définis, complice du brouillard, du crime, et plus généralement, du mal, telles ces grandes capitales qui constituent chez Dickens, Balzac et bien d'autres, le décor propice à la peinture des mystères de la nature et des actions humaines. La ville est la métaphore de la conscience moderne, les ruelles sont aussi tortueuses que l'âme, le dédale urbain reflète le labyrinthe intérieur dans lequel l'homme du XIXᵉ siècle se débat, après l'effondrement de ses certitudes morales et religieuses, et avec la montée des périls sociaux souvent perçue comme une menace pour l'ordre établi : ce n'est pas un hasard si, deux ans après la publication du *Cas étrange*, le Londres de Jack l'Eventreur est aussi décrit par certains journaux de l'époque comme un labyrinthe [1]. Stevenson utilise une image qui est dans l'air du temps. En outre, il a influencé la vision que donne Conan Doyle de Londres dans le cycle de Sherlock Holmes, et annonce un certain type de traitement expressionniste qu'on retrouvera chez les cinéastes des années 1920, comme Fritz Lang, Pabst ou Murnau [2]. Mais son originalité est ailleurs : ce qui frappe dans *Le Cas étrange*, c'est que Stevenson ait resserré son intrigue au sein d'un lieu, la maison du Dr Jekyll, lui-même labyrinthique, bizarre, biscornu, au point qu'il faut un certain temps aux protagonistes pour comprendre que la porte hideuse qui donne sur la ruelle appartient à la demeure du docteur. Cette maison à double entrée, l'une, principale et respectable, qui donne sur le Square, l'autre, secondaire et infâme, qui donne sur la petite rue, est bien une image de son propriétaire : la première, celle de Jekyll, la deuxième, celle de Hyde. La maison de Jekyll-Hyde est un labyrinthe dans le plus vaste labyrinthe de la ville, qu'il faut concevoir comme une série de cercles concentriques dont le dernier serait le cabinet du docteur, chambre centrale

1. Voir Roland Marx, *Jack l'Eventreur et les fantasmes victoriens*, Bruxelles, Ed. Complexe, 1987, pp. 152-153.
2. F.W. Murnau est l'auteur d'un *Januskopf* (1920) directement inspiré du *Cas étrange*.

du dédale, celle où gît ce Minotaure moderne qu'est
Hyde-Jekyll, l'homme rendu monstrueux par sa dualité. En suivant le texte et ses indications topogra-
phiques, on parvient à reconstituer le plan de la maison avec une certaine minutie[1], mais le déroulement
de l'enquête menée par le notaire signale de lui-même
la configuration du lieu : partie de l'extérieur et de la
petite rue, la curiosité du notaire va le mener peu à
peu jusqu'au centre par un mouvement de spirale qui
correspond à la fois à la mécanique intérieure l'incitant
à poursuivre Hyde de manière implacable, et à l'enfer-
mement psychologique qui a poussé Jekyll à se retran-
cher de plus en plus au fond de son être. De la petite
rue à la porte d'entrée, du hall à la fenêtre, de l'amphithéâtre au cabinet, l'enquête du notaire épouse la
dynamique d'involution suivie par ce docteur de plus
en plus barricadé dans son for/t intérieur. *Le Cas
étrange* est un tour de force parce que la progression
de l'action et la régression du protagoniste, l'évolution
du drame et l'involution de la conscience torturée, la
poursuite de l'enquête et la fuite intérieure sont précisément menées au même rythme, dans un même
espace symbolique. Utterson est le double de Jekyll-
Hyde, et cette maison la topographie symbolique de la
conscience, le lieu commun de ces trois instances
majeures de la personnalité humaine. Devenu héritier
de son propre client, le notaire est ici chez lui. L'énigmatique psyché trouvée dans le cabinet du docteur
n'attendait en fait que lui, son propre reflet. « M.
Utterson le notaire » n'était à la poursuite que de
lui-même.

« Je suis peut-être injuste avec lui », écrivait Henry
James à propos de Stevenson et du *Cas étrange*, « mais,
ici, ce qui me frappe ce n'est pas tant la profondeur de
l'idée que l'art de la présentation — la forme extrêmement réussie [...] Je confesse que c'est à mon point de

---

1. Comme le fait V. Nabokov dans son article, du moins dans sa
version américaine d'origine (in *Lectures on Literature*, Picador,
1983, p. 187). Voir aussi J.-P. Naugrette, « *Dr Jekyll and Mr Hyde* :
dans le labyrinthe », *Tropismes*, n° 5, « L'Errance », Université
Paris X-Nanterre, 1991, p. 20.

vue la chose la plus édifiante dans le genre de la courte histoire rapide, concentrée, qui est réellement un chef-d'œuvre de concision[1]. » Contre toute attente, le maître incontesté de l'exploration psychologique en littérature était moins fasciné par l'idée que par la forme, par la profondeur que par la surface, par le contenu que par l'enveloppe... Avec un siècle de recul, on peut se demander si ce qui transforme le tour de force en chef-d'œuvre capable de résister à l'usure du temps et des idées n'est pas la superposition d'un troisième type de labyrinthe aux deux premiers. Au centre du labyrinthe qu'est la maison du docteur, le notaire trouve effectivement une série de textes à déplier et déchiffrer[2], mais c'est *Le Cas étrange du Dr Jekyll et de M. Hyde* qui s'annonce aujourd'hui comme le plus fascinant de ces labyrinthes. Non seulement parce que le texte de Stevenson est volontairement compliqué, c'est-à-dire formé de plis, de messages emboîtés, de lettres enchâssées, mais parce que certains nœuds de l'histoire semblent défier l'explication, et condamner le lecteur à l'errance. D'où vient, où va la fillette qui court « de toutes ses forces » à trois heures du matin ? Officiellement, elle vient de chez ses parents, et se rend chez le docteur. Mais ne peut-on point imaginer qu'elle court parce qu'elle a déjà rencontré Hyde au coin d'une rue ? Qu'elle court en cercles ? A moins qu'elle ne tente d'échapper au docteur écossais ? Comment interpréter encore l'erreur de date commise par Jekyll au début de sa lettre à Lanyon au commencement du chapitre IX ? Si l'on en croit le récit de Lanyon et l'exposé final de Jekyll, le docteur ne saurait avoir écrit sa lettre en décembre : il ne peut s'agir que de janvier. Faut-il y voir une négligence de l'auteur, de la précipitation[3], ou plutôt une erreur de

1. H. James, *op. cit.*, p. 24.
2. R.L.S. utilise ce même procédé dans sa nouvelle fantastique intitulée « Olalla » (1885), où la chambre de la jeune fille recèle un manuscrit — il s'agit d'un poème — qui peut être considéré comme la clef de l'énigme. La nouvelle est également citée dans « Un chapitre sur les rêves » comme ayant été conçue en rêve.
3. C'est ce que suggère R. Dury, *op. cit.*, p. 25.

M. Hyde, dont Jekyll nous apprend qu'il est le véritable auteur de la lettre, et capable des plus mauvaises plaisanteries pour déstabiliser le docteur ?

Stevenson a multiplié les zones d'ombres, les points obscurs, les entrelacs. Son texte est une sorte de réseau pour lequel « Il n'y a pas de centre, pas de périphérie, pas de sortie parce qu'il est potentiellement infini[1]. » Aujourd'hui encore, aujourd'hui surtout, *Le Cas étrange* invite à une infinité de lectures. Le lecteur ne se lasse pas de pénétrer, depuis un siècle, dans ce labyrinthe, non pour trouver le chemin de la sortie, mais pour le plaisir infiniment renouvelé de s'y perdre.

Jean-Pierre NAUGRETTE.

---

1. Umberto Eco, *Apostille au Nom de la Rose*, Paris, Grasset-Le Livre de Poche, 1987, p. 65, à propos du réseau ou « rhizome » de Deleuze et Guattari.

Malheur à qui vient rompre les liens tissés par Dieu ;
Soyons toujours enfants du vent et des bruyères ;
Car même loin du pays, c'est toujours pour nous deux
Que le genêt fleurit au nord de l'Angleterre[2].

LE CAS ETRANGE
DU Dr JEKYLL ET DE M. HYDE

I

A PROPOS D'UNE PORTE

M. Utterson le notaire était un homme d'une mine renfrognée, qui ne s'éclairait jamais d'un sourire ; il était d'une conversation froide, chiche et embarrassée ; peu porté au sentiment ; et pourtant cet homme grand, maigre, décrépit et triste, plaisait à sa façon. Dans les réunions amicales, et quand le vin était à son goût, quelque chose d'éminemment bienveillant jaillissait de son regard ; quelque chose qui à la vérité ne se faisait jamais jour en paroles, mais qui s'exprimait non seulement par ce muet symbole de la physionomie d'après-dîner, mais plus fréquemment et avec plus de force par les actes de sa vie. Austère envers lui-même, il buvait du gin quand il était seul pour réfréner son goût des bons crus ; et bien qu'il aimât le théâtre, il n'y avait pas mis les pieds depuis vingt ans. Mais il avait pour les autres une indulgence à toute épreuve ; et il s'émerveillait parfois, presque avec envie, de l'intensité de désir réclamée par leurs dérèglements ; et en dernier ressort, inclinait à les secourir plutôt qu'à les blâmer. « Je penche vers l'hérésie des caïnites [3], lui arrivait-il de dire pédamment. Je laisse mes frères aller au diable à leur propre façon. » En vertu de cette originalité, c'était fréquemment son lot d'être la dernière relation avouable et la dernière bonne influence dans la vie d'hommes en voie de perdition. Et à l'égard de ceux-là, aussi longtemps qu'ils fréquentaient son logis, il ne montrait jamais l'ombre d'une modification dans sa manière d'être.

Sans doute que cet héroïsme ne coûtait guère à M. Utterson ; car il était aussi peu démonstratif que possible, et ses amitiés mêmes semblaient fondées pareillement sur une bienveillance universelle. C'est une preuve de modestie que de recevoir tout formé, des mains du hasard, le cercle de ses amitiés. Telle était la méthode du notaire. Il avait pour amis les gens de sa parenté ou ceux qu'il connaissait depuis le plus longtemps ; ses liaisons, comme le lierre, devaient leur croissance au temps, et ne réclamaient de leur objet aucune qualité spéciale. De là, sans doute, le lien qui l'unissait à M. Richard Enfield son parent éloigné, un vrai Londonien honorablement connu. C'était pour la plupart des gens une énigme de se demander quel attrait ces deux-là pouvaient voir l'un en l'autre, ou quel intérêt commun ils avaient pu se découvrir[4]. Au dire de ceux qui les rencontraient faisant leur promenade dominicale, ils n'échangeaient pas un mot, avaient l'air de s'ennuyer prodigieusement, et accueillaient avec un soulagement visible la rencontre d'un ami. Malgré cela, tous deux faisaient le plus grand cas de ces sorties, qu'ils estimaient le plus beau fleuron de chaque semaine, et pour en jouir avec régularité il leur arrivait, non seulement de renoncer à d'autres occasions de plaisir, mais même de rester sourds à l'appel des affaires.

Ce fut au cours d'une de ces randonnées que le hasard les conduisit dans une petite rue détournée d'un quartier ouvrier de Londres. C'était ce qui s'appelle une petite rue tranquille, bien qu'elle charriât en semaine un trafic intense. Ses habitants, qui semblaient tous à leur aise, cultivaient à l'envi l'espoir de s'enrichir encore, et étalaient en embellissements le superflu de leurs gains ; de sorte que les devantures des boutiques, telles deux rangées d'accortes marchandes, offraient le long de cette artère un aspect engageant. Même le dimanche, alors qu'elle voilait ses plus florissants appas et demeurait comparativement vide de circulation, cette rue faisait avec son terne voisinage un contraste brillant, comme un feu dans une forêt ; et par ses volets repeints de frais, ses cuivres bien fourbis, sa propreté générale et son air de gaieté, elle attirait et charmait aussitôt le regard du passant.

A deux portes d'un coin, sur la gauche en allant vers l'est, l'entrée d'une cour interrompait l'alignement, et à cet endroit même, la masse rébarbative d'un bâtiment projetait en saillie son pignon sur la rue. Haut d'un étage, sans fenêtres, il n'offrait rien qu'une porte au rez-de-chaussée, et à l'étage la façade aveugle d'un mur décrépit. Il présentait dans tous ses détails les symptômes d'une négligence sordide et prolongée. La porte, dépourvue de sonnette ou de heurtoir, était écaillée et décolorée. Les vagabonds gîtaient dans l'embrasure et frottaient des allumettes sur les panneaux ; les enfants tenaient boutique sur le seuil ; un écolier avait essayé son canif sur les moulures ; et depuis près d'une génération, personne n'était venu chasser ces indiscrets visiteurs ni réparer leurs déprédations.

M. Enfield et le notaire passaient de l'autre côté de la petite rue ; mais quand ils arrivèrent, à hauteur de l'entrée, le premier leva sa canne et la désigna :

— Avez-vous déjà remarqué cette porte ? demanda-t-il ; et quand son compagnon lui eut répondu par l'affirmative : Elle se rattache dans mon souvenir, ajouta-t-il, à une très singulière histoire.

— Vraiment ? fit M. Utterson, d'une voix légèrement altérée. Et quelle était-elle ?

— Eh bien, voici la chose, répliqua M. Enfield. C'était vers trois heures du matin, par une sombre nuit d'hiver. Je m'en retournais chez moi, d'un endroit au bout du monde, et mon chemin traversait une partie de la ville où l'on ne rencontrait absolument que des réverbères. Les rues se succédaient, et tout le monde dormait... les rues se succédaient, toutes illuminées comme pour une procession et toutes aussi désertes qu'une église... si bien que finalement j'en arrivai à cet état d'esprit du monsieur qui dresse l'oreille de plus en plus et commence d'aspirer à

l'apparition d'un agent de police. Tout à coup je vis
deux silhouettes, d'une part un petit homme qui d'un
bon pas trottinait vers l'est, et de l'autre une fillette de
peut-être huit ou dix ans qui s'en venait par une rue
transversale en courant de toutes ses forces. Eh bien,
monsieur, arrivés au coin, tous deux se jetèrent l'un
contre l'autre, ce qui était assez naturel ; mais ensuite
advint l'horrible de la chose, car l'homme foula froide-
ment aux pieds le corps de la fillette et s'éloigna, la
laissant sur le pavé, hurlante. Cela n'a l'air de rien à
entendre raconter, mais c'était diabolique à voir. Ce
n'était plus un homme que j'avais devant moi, c'était
je ne sais quel monstre satanique et impitoyable [5].
J'appelai à l'aide, me mis à courir, saisis au collet notre
citoyen, et le ramenai auprès de la fillette hurlante
qu'entourait déjà un petit rassemblement. Il garda un
parfait sang-froid et ne tenta aucune résistance, mais
me décocha un regard si atroce que je me sentis
inondé d'une sueur froide. Les gens qui avaient surgi
étaient les parents mêmes de la petite ; et presque
aussitôt on vit paraître le docteur, chez qui elle avait
été envoyée. En somme, la fillette, au dire du morticole [6], avait eu plus de peur que de mal ; et on eût pu
croire que les choses en resteraient là. Mais il se
produisit un phénomène singulier. J'avais pris en aversion à première vue notre citoyen. Les parents de la
petite aussi, comme il était trop naturel. Mais ce qui
me frappa ce fut la conduite du docteur. C'était le
classique praticien routinier, d'âge et de caractère
indéterminés, doué d'un fort accent d'Edimbourg, et
sentimental à peu près autant qu'une cornemuse. Eh
bien, monsieur, il en fut de lui comme de nous autres
tous : à chaque fois qu'il jetait les yeux sur mon prisonnier, je voyais le morticole se crisper et pâlir d'une
envie de le tuer. Je devinai sa pensée, de même qu'il
devina la mienne, et comme on ne tue pas ainsi les
gens, nous fîmes ce qui en approchait le plus. Nous
déclarâmes à l'individu qu'il ne dépendait que de nous
de provoquer avec cet accident un scandale tel que
son nom serait abominé d'un bout à l'autre de

Londres. S'il avait des amis ou de la réputation, nous nous chargions de les lui faire perdre. Et pendant tout le temps que nous fûmes à le retourner sur le gril, nous avions fort à faire pour écarter de lui les femmes, qui étaient comme des harpies en fureur. Jamais je n'ai vu pareille réunion de faces haineuses. Au milieu d'elles se tenait l'individu, affectant un sang-froid sinistre et ricaneur ; il avait peur aussi, je le voyais bien, mais il montrait bonne contenance, monsieur, comme un véritable démon. Il nous dit : « Si vous tenez à faire un drame[7] de cet incident, je suis évidemment à votre merci. Tout gentleman ne demande qu'à éviter le scandale. Fixez votre chiffre. » Eh bien, nous le taxâmes à cent livres, destinées aux parents de la fillette. D'évidence il était tenté de se rebiffer, mais nous avions tous un air qui promettait du vilain, et il finit par céder. Il lui fallut alors se procurer l'argent ; et où croyez-vous qu'il nous conduisit ? Tout simplement à cet endroit où il y a la porte. Il tira de sa poche une clef, entra, et revint bientôt, muni de quelque dix livres en or et d'un chèque pour le surplus, sur la banque Coutts, libellé payable au porteur et signé d'un nom que je ne puis vous dire, bien qu'il constitue l'un des points essentiels de mon histoire ; mais c'était un nom honorablement connu et souvent imprimé. Le chiffre était salé, mais la signature valait pour plus que cela, à condition toutefois qu'elle fût authentique. Je pris la liberté de faire observer à notre citoyen que tout son procédé me paraissait peu vraisemblable, et que, dans la vie réelle, on ne pénètre pas à quatre heures du matin par une porte de cave pour en ressortir avec un chèque d'autrui valant près de cent livres. Mais d'un ton tout à fait dégagé et railleur, il me répondit : « Soyez sans crainte, je ne vous quitterai pas jusqu'à l'ouverture de la banque et je toucherai le chèque moi-même. » Nous nous en allâmes donc tous, le docteur, le père de l'enfant, notre homme et moi, passer le reste de la nuit dans mon appartement ; et le matin venu, après avoir déjeuné, nous nous rendîmes en chœur à la banque. Je présentai le chèque moi-même, en disant que j'avais toutes raisons de le croire faux. Pas du tout. Le chèque était régulier.

M. Utterson émit un clappement de langue désapprobateur.

— Je vois que vous pensez comme moi, reprit M. Enfield. Oui, c'est une fâcheuse histoire. Car notre homme était un individu avec qui nul ne voudrait avoir rien de commun, un vraiment sinistre individu, et la personne au contraire qui tira le chèque est la fleur même des convenances, une célébrité en outre, et (qui pis est) l'un de ces citoyens qui font, comme ils disent, le bien. Chantage, je suppose, un honnête homme qui paye sans y regarder pour quelque fredaine de jeunesse. Quoique cette hypothèse même, voyez-vous, soit loin de tout expliquer, ajouta-t-il.

Et sur ces mots il tomba dans une profonde rêverie.

Il en fut tiré par M. Utterson, qui lui demandait assez brusquement :

— Et vous ne savez pas si le tireur du chèque habite là ?

— Un endroit bien approprié, n'est-ce pas ? répliqua M. Enfield. Mais j'ai eu l'occasion de noter son adresse : il habite sur une place quelconque.

— Et vous n'avez jamais pris de renseignements... sur cet endroit où il y a la porte ? reprit M. Utterson.

— Non, monsieur ; j'ai eu un scrupule. Je répugne beaucoup à poser des questions ; c'est là un genre qui rappelle trop le jour du Jugement. On lance une question, et c'est comme si on lançait une pierre. On est tranquillement assis au haut d'une montagne ; et la pierre déroule, qui en entraîne d'autres ; et pour finir, un sympathique vieillard (le dernier auquel on aurait pensé) reçoit l'avalanche sur le crâne au beau milieu de son jardin privé, et ses parents n'ont plus qu'à changer de nom. Non, monsieur, je m'en suis fait une règle : plus une histoire sent le louche[8], moins je m'informe.

— Une très bonne règle, en effet, répliqua le notaire.

— Mais j'ai examiné l'endroit par moi-même,

continua M. Enfield. On dirait à peine une habitation. Il n'y a pas d'autre porte, et personne n'entre ni ne sort par celle-ci, sauf, à de longs intervalles, le citoyen de mon aventure. Il y a trois fenêtres donnant sur la cour au premier étage, et pas une au rez-de-chaussée ; jamais ces fenêtres ne s'ouvrent, mais leurs carreaux sont nettoyés. Et puis il y a une cheminée qui fume en général ; donc quelqu'un doit habiter là. Et encore ce n'est pas absolument certain, car les immeubles s'enchevêtrent si bien autour de cette cour qu'il est difficile de dire où l'un finit et où l'autre commence.

Les deux amis firent de nouveau quelques pas en silence ; puis :

— Enfield, déclara M. Utterson, c'est une bonne règle que vous avez adoptée.

— Je le crois en effet, répliqua Enfield.

— Mais malgré cela, poursuivit le notaire, il y a une chose que je veux vous demander ; c'est le nom de l'homme qui a foulé aux pieds l'enfant.

— Ma foi, répondit Enfield, je ne vois pas quel mal cela pourrait faire de vous le dire. Cet homme se nommait Hyde.

— Hum, fit M. Utterson. Et quel est son aspect physique ?

— Il n'est pas facile à décrire. Il y a dans son extérieur quelque chose de faux ; quelque chose de désagréable, d'absolument odieux. Je n'ai jamais vu personne qui me fût aussi antipathique ; et cependant je sais à peine pourquoi. Il doit être contrefait de quelque part ; il donne tout à fait l'impression d'avoir une difformité ; mais je n'en saurais préciser le siège. Cet homme a un air extraordinaire, et malgré cela je ne peux réellement indiquer en lui quelque chose qui sorte de la normale. Non, monsieur, j'y renonce ; je suis incapable de le décrire. Et ce n'est pas faute de mémoire ; car, en vérité, je me le représente comme s'il était là.

M. Utterson fit de nouveau quelques pas en silence et visiblement sous le poids d'une préoccupation. Il demanda enfin :

— Vous êtes sûr qu'il s'est servi d'une clef ?

— Mon cher monsieur... commença Enfield, au comble de la surprise.

— Oui je sais, dit Utterson, je sais que ma question doit vous sembler bizarre. Mais de fait, si je ne vous demande pas le nom de l'autre personnage, c'est parce que je le connais déjà[9]. Votre histoire, croyez-le bien, Richard, est allée à bonne adresse. Si vous avez été inexact en quelque détail, vous ferez mieux de le rectifier.

— Il me semble que vous auriez pu me prévenir, répliqua l'autre avec une pointe d'humeur. Mais j'ai été d'une exactitude pédantesque, comme vous dites. L'individu avait une clef, et qui plus est, il l'a encore. Je l'ai vu s'en servir, il n'y a pas huit jours.

M. Utterson poussa un profond soupir, mais s'abstint de tout commentaire ; et bientôt son cadet reprit :

— Voilà une nouvelle leçon qui m'apprendra à me taire. Je rougis d'avoir eu la langue si longue. Convenons, voulez-vous, de ne plus jamais reparler de cette histoire.

— Bien volontiers, répondit le notaire. Voici ma main, Richard ; c'est promis.

II

EN QUÊTE DE M. HYDE

Ce soir-là, M. Utterson regagna mélancoliquement son logis de célibataire et se mit à table sans appétit. Il avait l'habitude, le dimanche, après son repas, de s'asseoir au coin du feu, avec un aride volume de théologie sur son pupitre à lecture, jusqu'à l'heure où minuit sonnait à l'horloge de l'église voisine, après quoi il allait sagement se mettre au lit, satisfait de sa journée. Mais ce soir-là, sitôt la table desservie, il prit un flambeau et passa dans son cabinet de travail. Là, il ouvrit son coffre-fort, retira du compartiment le plus secret un dossier portant sur sa chemise la mention : « Testament du Dr Jekyll », et se mit à son bureau, les sourcils froncés, pour en étudier le contenu. Le testament était olographe, car M. Utterson, bien qu'il en acceptât la garde à présent que c'était fait, avait refusé de coopérer le moins du monde à sa rédaction. Il stipulait non seulement que, en cas de décès de Henry Jekyll, docteur en médecine, docteur en droit civil, docteur légiste, membre de la Société Royale, etc., tous ses biens devaient passer en la possession de son « ami et bienfaiteur Edward Hyde » ; mais en outre que, dans le cas où ledit Dr Jekyll viendrait à « disparaître ou faire une absence inexpliquée d'une durée excédant trois mois pleins », ledit Edward Hyde serait sans plus de délai substitué à Henry Jekyll, étant libre de toute charge ou obligation autre que le paiement de quelques petits legs aux membres de la domesticité du docteur. Ce document faisait depuis longtemps le désespoir du notaire. Il s'en affligeait aussi bien comme notaire que comme partisan des côtés sains et traditionnels de l'existence, pour qui le fantaisiste égalait l'inconvenant. Jusque-là c'était son ignorance au sujet de M. Hyde qui suscitait son indignation : désormais, par un brusque revirement, ce fut ce qu'il en savait. Cela n'avait déjà pas bonne allure lorsque ce nom n'était pour lui qu'un nom vide de sens. Cela devenait pire depuis qu'il s'était paré de fâcheux attributs ; et hors des brumes onduleuses et inconsistantes qui avaient si longtemps offusqué son regard, le notaire vit surgir la brusque et nette apparition d'un démon.

« J'ai cru que c'était de la folie », se dit-il, en replaçant le malencontreux papier dans le coffre-fort, « mais à cette heure je commence à craindre que ce ne soit de l'opprobre. »

Là-dessus il souffla sa bougie, endossa un pardessus, et se mit en route dans la direction de Cavendish square, cette citadelle de la médecine, où son ami, le fameux Dr Lanyon, avait son habitation et recevait la foule de ses malades.

Si quelqu'un est au courant, songeait-il, ce doit être Lanyon.

Le majestueux maître d'hôtel le reconnut et le fit entrer : sans subir aucun délai d'attente, il fut introduit directement dans la salle à manger où le Dr Lanyon, qui dînait seul, en était aux liqueurs. C'était un gentleman cordial, plein de santé, actif, rubicond, avec une mèche de cheveux prématurément blanchie et des allures exubérantes et décidées. A la vue de M. Utterson, il se leva d'un bond et s'avança au-devant de lui, les deux mains tendues. Cette affabilité, qui était dans les habitudes du personnage, avait l'air un peu théâtrale ; mais elle procédait de sentiments réels. Car tous deux étaient de vieux amis, d'anciens camarades de classe et d'université, pleins l'un et l'autre de la meilleure opinion réciproque, et, ce qui ne s'ensuit pas toujours, ils se plaisaient tout à fait dans leur mutuelle société.

Après quelques phrases sur la pluie et le beau temps, le notaire en vint au sujet qui lui préoccupait si fâcheusement l'esprit.

— Il me semble, Lanyon, dit-il, que nous devons être, vous et moi, les deux plus vieux amis du Dr Jekyll ?

— Je préférerais que ces amis fussent plus jeunes ! plaisanta le Dr Lanyon. Admettons-le cependant. Mais qu'importe ? Je le vois si peu à présent.

— En vérité ? fit Utterson. Je vous croyais très liés par des recherches communes ?

— Autrefois, répliqua l'autre. Mais voici plus de dix ans que Henry Jekyll est devenu trop fantaisiste pour moi. Il a commencé à tourner mal, en esprit s'entend ; et j'ai beau toujours m'intéresser à lui en souvenir du passé comme on dit, je le vois et l'ai vu diantrement peu depuis lors. De pareilles billevesées scientifiques, ajouta le docteur, devenu soudain rouge pourpre, auraient suffi à brouiller Damon et Pythias [10].

Cette petite bouffée d'humeur apporta comme un baume à M. Utterson. « Ils n'ont fait que différer sur un point de science », songea-t-il ; et comme il était dénué de passion scientifique (sauf en matière notariale), il ajouta même : « Si ce n'est que cela ! » Puis ayant laissé quelques secondes à son ami pour reprendre son calme, il aborda la question qui faisait le but de sa visite, en demandant :

— Avez-vous jamais rencontré un sien protégé, un nommé Hyde ?

— Hyde ? répéta Lanyon. Non. Jamais entendu parler de lui. Ce n'est pas de mon temps.

Telle fut la somme de renseignements que le notaire remporta avec lui dans son grand lit obscur où il resta à se retourner sans répit jusque bien avant dans la nuit. Ce ne fut guère une nuit de repos pour son esprit qui travaillait, perdu en pleines ténèbres et assiégé de questions.

Six heures sonnèrent au clocher de l'église qui se trouvait si commodément proche du logis de M. Utterson, et il creusait toujours le problème. Au début celui-ci ne l'avait touché que par son côté intellectuel ; mais à présent son imagination était, elle aussi, occupée ou pour mieux dire asservie ; et tandis qu'il restait à se retourner dans les opaques ténèbres de la nuit et de sa chambre aux rideaux clos, le récit de M. Enfield repassait devant sa mémoire en un déroulement de tableaux lucides. Il croyait voir l'immense champ de réverbères d'une ville nocturne ; puis un personnage qui s'avançait à pas rapides ; puis une fillette qui sortait en courant de chez le docteur, et puis tous les deux se rencontraient, et le monstre inhumain foulait aux pieds l'enfant et s'éloignait sans prendre garde à ses cris. Ou encore il voyait dans une somptueuse maison une chambre où son ami était en train de dormir, rêvant et souriant à ses rêves ; et alors la porte de cette chambre s'ouvrait, les rideaux du lit s'écartaient violemment, le dormeur se réveillait, et patatras ! il découvrait à son chevet un être qui avait sur lui tout pouvoir, et même en cette heure où tout reposait il lui fallait se lever et faire comme on le lui ordonnait. Le personnage sous ces deux aspects hanta toute la nuit le notaire ; et si par instants celui-ci s'endormait, ce n'était que pour le voir se glisser plus furtif dans des maisons endormies, ou s'avancer d'une vitesse de plus en plus accélérée, jusqu'à en devenir vertigineuse, parmi de toujours plus vastes labyrinthes de villes éclairées de réverbères, et à chaque coin de rue écraser une fillette et la laisser là hurlante. Et toujours ce personnage manquait d'un visage auquel il pût le reconnaître ; même dans ses rêves, il manquait de visage, ou bien celui-ci était un leurre qui s'évanouissait sous son regard...

Ce fut de la sorte que naquit et grandit peu à peu dans l'esprit du notaire une curiosité singulièrement forte, quasi désordonnée, de contempler les traits du véritable M. Hyde. Il lui aurait suffi, croyait-il, de jeter les yeux sur lui une seule fois pour que le mystère s'éclaircît, voire se dissipât tout à fait, selon la coutume des choses mystérieuses quand on les examine bien. Il comprendrait alors la raison d'être de l'étrange prédilection de son ami, ou (si l'on préfère) de sa sujétion, non moins que des stupéfiantes clauses du testament. Et en tout cas ce serait là un visage qui mériterait d'être vu ; le visage d'un homme dont les entrailles étaient inaccessibles à la pitié ; un visage auquel il suffisait de se montrer pour susciter dans l'âme du flegmatique Enfield un sentiment de haine tenace.

A partir de ce jour, M. Utterson fréquenta assidûment la porte située dans la lointaine petite rue de boutiques. Le matin avant les heures de bureau, le soir sous les regards de la brumeuse lune citadine, par tous les éclairages et à toutes les heures de solitude ou de foule, le notaire se trouvait à son poste de prédilection.

« Puisqu'il est M. Hyde, se disait-il, je serai M. Seek [11]. »

Sa patience fut enfin récompensée. C'était par une belle nuit sèche ; il y avait de la gelée dans l'air ; les rues étaient nettes comme le parquet d'une salle de bal ; les réverbères, que ne faisait vaciller aucun souffle, dessinaient leurs schémas réguliers de lumière et d'ombre. A dix heures, quand les boutiques se fermaient, la petite rue devenait très déserte et, en dépit du sourd grondement de Londres qui s'élevait de tout à l'entour, très silencieuse. Les plus petits sons portaient au loin : les bruits domestiques provenant des maisons s'entendaient nettement d'un côté à l'autre de la chaussée ; et le bruit de leur marche précédait de beaucoup les passants. Il y avait quelques minutes que M. Utterson était à son poste, lorsqu'il perçut un pas insolite et léger qui se rapprochait. Au cours de ses reconnaissances nocturnes, il s'était habitué depuis longtemps à l'effet bizarre que produit le pas d'un promeneur solitaire qui est encore à une grande distance, lorsqu'il devient tout à coup distinct parmi la vaste rumeur et les voix de la ville. Mais son attention n'avait jamais encore été mise en arrêt de façon aussi aiguë et décisive ; et ce fut avec un vif et superstitieux pressentiment de toucher au but qu'il se dissimula dans l'entrée de la cour.

Les pas se rapprochaient rapidement, et ils redoublèrent tout à coup de sonorité lorsqu'ils débouchèrent dans la rue. Le notaire, avançant la tête hors de l'entrée, fut bientôt édifié sur le genre d'individu auquel il avait affaire. C'était un petit homme très simplement vêtu, et son aspect, même à distance, souleva chez le guetteur une violente antipathie. Il marcha droit vers la porte, coupant en travers de la chaussée pour gagner du temps ; et chemin faisant il tira une clef de sa poche comme s'il arrivait chez lui.

M. Utterson sortit de sa cachette et quand l'autre fut à sa hauteur il lui toucha l'épaule.

— Monsieur Hyde, je pense ?

M. Hyde se recula, en aspirant l'air avec force. Mais sa crainte ne dura pas ; et, sans toutefois regarder le notaire en face, il lui répondit avec assez de sang-froid :

— C'est bien mon nom. Que me voulez-vous ?

— Je vois que vous allez entrer, répliqua le notaire. Je suis un vieil ami du Dr Jekyll... M. Utterson, de Gaunt Street [12]... il doit vous avoir parlé de moi ; et en nous rencontrant si à point, j'ai cru que vous pourriez m'introduire auprès de lui.

— Vous ne trouverez pas le Dr Jekyll ; il est sorti, répliqua M. Hyde, en soufflant dans sa clef... Puis avec brusquerie ; mais toujours sans lever les yeux, il ajouta : D'où me connaissez-vous ?

— Je vous demanderai d'abord, répliqua M. Utterson, de me faire un plaisir.

— Volontiers, répondit l'autre... De quoi s'agit-il ?

— Voulez-vous me laisser voir votre visage ? demanda le notaire.

M. Hyde parut hésiter ; puis, comme s'il prenait une brusque résolution, il releva la tête d'un air de défi ; et tous deux restèrent quelques secondes à se dévisager fixement.

— A présent, je vous reconnaîtrai, fit M. Utterson. Cela peut devenir utile.

— Oui, répliqua M. Hyde, il vaut autant que nous nous soyons rencontrés ; mais à ce propos, il est bon que vous sachiez mon adresse.

Et il lui donna un numéro et un nom de rue dans Soho.

« Grand Dieu ! pensa M. Utterson, se peut-il que lui aussi ait songé au testament ? »

Mais il garda sa réflexion pour lui-même et se borna à émettre un vague remerciement au sujet de l'adresse.

— Et maintenant, fit l'autre, répondez-moi : d'où me connaissez-vous ?

— On m'a fait votre portrait.

— Qui cela ?

— Nous avons des amis communs, répondit M. Utterson.

— Des amis communs, répéta M. Hyde, d'une voix rauque. Citez-en.

— Jekyll, par exemple, dit le notaire.

— Jamais il ne vous a parlé de moi ! s'écria M. Hyde, dans un accès de colère. Je ne vous croyais pas capable de mentir.

— Tout doux, fit M. Utterson, vous vous oubliez.

L'autre poussa tout haut un ricanement sauvage ; et en un instant, avec une promptitude extraordinaire, il ouvrit la porte et disparut dans la maison.

Le notaire resta d'abord où M. Hyde l'avait laissé, livré au plus grand trouble. Puis avec lenteur il se mit à remonter la rue, s'arrêtant quasi à chaque pas et portant la main à son front, comme s'il était en proie à une vive préoccupation d'esprit. Le problème qu'il examinait ainsi, tout en marchant, appartenait à une catégorie presque insoluble. M. Hyde était blême et rabougri, il donnait sans aucune difformité visible l'impression d'être contrefait, il avait un sourire déplaisant, il s'était comporté envers le notaire avec un mélange quasi féroce de timidité et d'audace, et il parlait d'une voix sourde, sibilante et à demi cassée ; tout cela militait contre lui ; mais tout cet ensemble réuni ne suffisait pas à expliquer la répugnance jusque-là inconnue, le dégoût et la crainte avec lesquels M. Utterson le regardait. « Il doit y avoir autre chose, se dit ce gentleman, perplexe. Il y a certainement autre chose, mais je n'arrive pas à mettre le doigt

dessus. Dieu me pardonne, cet homme n'a pour ainsi
dire pas l'air d'être un civilisé. Tiendrait-il du troglo-
dyte ? ou serait-ce la vieille histoire du Dr Fell[13], ou
bien est-ce le simple reflet d'une vilaine âme qui trans-
paraît ainsi à travers son revêtement d'argile et le
transfigure ? Cette dernière hypothèse, je crois... Ah !
mon pauvre vieux Harry[14] Jekyll, si jamais j'ai lu sur
un visage la griffe de Satan, c'est bien sur celui de
votre nouvel ami ! »

Passé le coin en venant de la petite rue, il y avait une
place carrée entourée d'anciennes et belles maisons, à
cette heure déchues pour la plupart de leur splendeur
passée et louées par étages et appartements à des gens
de toutes sortes et de toutes conditions : graveurs de
plans, architectes, louches agents d'affaires et direc-
teurs de vagues entreprises. Une maison, toutefois, la
deuxième à partir du coin, appartenait toujours à un
seul occupant ; et à la porte de celle-ci, qui offrait un
grand air de richesse et de confort, bien qu'à l'exception de l'imposte elle fût alors plongée dans les
ténèbres, M. Utterson s'arrêta et heurta. Un domestique âgé, en livrée, vint ouvrir.

— Est-ce que le docteur est chez lui, Poole ?
demanda le notaire.

— Je vais voir, monsieur Utterson, répondit Poole,
tout en introduisant le visiteur dans un grand et
confortable vestibule au plafond bas, pavé de carreaux
céramiques, chauffé (telle une maison de campagne)
par la flamme claire d'un âtre ouvert, et meublé de
précieux buffets de chêne.

— Préférez-vous attendre ici au coin du feu, monsieur, ou voulez-vous que je vous fasse de la lumière
dans la salle à manger ?

— Inutile, j'attendrai ici, répliqua le notaire.

Et s'approchant du garde-feu élevé, il s'y accouda.
Ce vestibule, où il resta bientôt seul, était une vanité
mignonne de son ami le docteur ; et Utterson lui-
même ne manquait pas d'en parler comme de la pièce
la plus agréable de tout Londres. Mais ce soir, un
frisson lui parcourait les moelles ; le visage de Hyde

hantait péniblement son souvenir ; il éprouvait (chose insolite pour lui) la satiété et le dégoût de la vie ; et du fond de sa dépression mentale, les reflets dansants de la flamme sur le poli des buffets et les sursauts inquiétants de l'ombre au plafond, prenaient un caractère lugubre. Il eut honte de se sentir soulagé lorsque Poole revint enfin lui annoncer que le Dr Jekyll était sorti.

— Dites, Poole, fit-il, j'ai vu M. Hyde entrer par la porte de l'ancienne salle de dissection. Est-ce correct, lorsque le Dr Jekyll est absent ?

— Tout à fait correct, monsieur Utterson, répondit le domestique, M. Hyde a la clef.

— Il me semble que votre maître met beaucoup de confiance en ce jeune homme, Poole, reprit l'autre d'un air pensif.

— Oui, monsieur, beaucoup en effet, répondit Poole. Nous avons tous reçu l'ordre de lui obéir.

— Je ne pense pas avoir jamais rencontré M. Hyde ? interrogea Utterson.

— Oh, mon Dieu, non, monsieur. Il ne dîne jamais ici, répliqua le maître d'hôtel. Et même nous ne le voyons guère de ce côté-ci de la maison ; il entre et sort la plupart du temps par le laboratoire.

— Allons, bonne nuit, Poole.

— Bonne nuit, monsieur Utterson.

Et le notaire s'en retourna chez lui, le cœur tout serré.

« Ce pauvre Harry Jekyll, songeait-il, j'ai bien peur qu'il ne se soit mis dans de mauvais draps ! Il a eu une jeunesse un peu orageuse ; cela ne date pas d'hier, il est vrai ; mais la justice de Dieu ne connaît ni règle ni limites. Hé oui, ce doit être cela : le revenant d'un vieux péché, le cancer d'une honte secrète, le châtiment qui vient, *pede claudo*[15], des années après que la faute est sortie de la mémoire et que l'amour-propre s'en est absous. »

Et le notaire, troublé par cette considération, médita un instant sur son propre passé, fouillant tous les recoins de sa mémoire, dans la crainte d'en voir surgir à la lumière, comme d'une boîte à surprises, une vieille

iniquité. Son passé était certes bien innocent ; peu de
gens pouvaient lire avec moins d'appréhension les
feuillets de leur vie ; et pourtant il fut d'abord accablé
de honte par toutes les mauvaises actions qu'il avait
commises, puis soulevé d'une douce et timide
reconnaissance par toutes celles qu'il avait évitées
après avoir failli de bien près les commettre. Et
ramené ainsi à son sujet primitif, il conçut une lueur
d'espérance.

« Ce maître Hyde, si on le connaissait mieux, songeait-il, doit avoir ses secrets particuliers : de noirs
secrets, dirait-on à le voir ; des secrets à côté desquels
les pires du pauvre Jekyll sembleraient purs comme le
jour. Les choses ne peuvent durer ainsi. Cela me glace
de penser que cet être-là s'insinue comme un voleur
au chevet de Harry : pauvre Harry, quel réveil pour
lui ! Et quel danger ; car si ce Hyde soupçonne l'existence du testament, il peut devenir impatient d'hériter.
Oui, il faut que je pousse à la roue... si toutefois Jekyll
me laisse faire, ajouta-t-il, si Jekyll veut bien me laisser
faire. »

Car une fois de plus il revoyait en esprit, nettes
comme sur un écran lumineux, les singulières clauses
du testament.

III

LA PARFAITE TRANQUILLITÉ
DU Dr JEKYLL[16]

Quinze jours s'étaient écoulés lorsque, par le plus heureux des hasards, le docteur offrit un de ces agréables dîners dont il était coutumier à cinq ou six vieux camarades, tous hommes intelligents et distingués, et tous amateurs de bons vins. M. Utterson, qui y assistait, fit en sorte de rester après le départ des autres convives. La chose, loin d'avoir quelque chose de nouveau, s'était produite maintes et maintes fois. Quand on aimait Utterson, on l'aimait bien. Les amphitryons se plaisaient à retenir l'aride notaire, alors que les gens d'un caractère jovial et expansif avaient déjà le pied sur le seuil ; ils se plaisaient à rester encore quelque peu avec ce discret compagnon, afin de se réaccoutumer à la solitude, et de laisser leur esprit se détendre, après une excessive dépense de gaieté, dans le précieux silence de leur hôte. A cette règle, le Dr Jekyll ne faisait pas exception ; et si vous aviez vu alors, installé de l'autre côté du feu, ce quinquagénaire robuste et bien bâti, dont le visage serein offrait, avec peut-être un rien de dissimulation, tous les signes de l'intelligence et de la bonté, vous auriez compris à sa seule attitude qu'il professait envers M. Utterson une sincère et chaude sympathie.

— J'ai éprouvé le besoin de vous parler, Jekyll, commença le notaire. Vous vous rappelez votre testament ?

Un observateur attentif eût pu discerner que l'on

goûtait peu ce sujet ; mais le docteur affecta de le prendre sur un ton dégagé.

— Mon cher Utterson, répondit-il, vous n'avez pas de chance avec votre client. Je n'ai jamais vu personne aussi tourmenté que vous l'êtes par mon testament ; sauf peut-être ce pédant invétéré [17] de Lanyon, par ce qu'il appelle mes hérésies scientifiques. Oui, oui, entendu, c'est un brave garçon... inutile de prendre cet air sévère... un excellent garçon, et j'ai toujours l'intention de le revoir, mais cela ne l'empêche pas d'être un pédant invétéré ; un pédant ignare et prétentieux. Jamais personne ne m'a autant déçu que Lanyon.

— Vous savez que je n'ai jamais approuvé la chose, poursuivit l'impitoyable Utterson, refusant de le suivre sur ce nouveau terrain.

— Mon testament ? Mais oui, bien entendu, je le sais, fit le docteur, un peu sèchement. Vous me l'avez déjà dit.

— Eh bien, je vous le redis encore, continua le notaire. J'ai appris quelque chose concernant le jeune Hyde.

La face épanouie du Dr Jekyll se décolora jusqu'aux lèvres, et ses yeux s'assombrirent. Il déclara :

— Je ne désire pas en entendre davantage. Il me semble que nous avions convenu de ne plus parler de ce sujet.

— Ce que j'ai appris est abominable, insista Utterson.

— Cela ne peut rien y changer. Vous ne comprenez pas ma situation, répliqua le docteur, avec une certaine incohérence. Je suis dans une situation pénible, Utterson ; ma situation est exceptionnelle, tout à fait exceptionnelle. C'est une de ces choses auxquelles on ne peut remédier par des paroles.

— Jekyll, reprit Utterson, vous me connaissez : je suis quelqu'un en qui on peut avoir confiance. Avouez-moi cela sous le sceau du secret ; je me fais fort de vous en tirer.

— Mon bon Utterson, repartit le docteur, c'est très

aimable de votre part ; c'est tout à fait aimable, et je ne trouve pas de mots pour vous remercier. J'ai en vous la foi la plus entière ; je me confierais à vous plutôt qu'à n'importe qui, voire à moi-même, s'il me restait le choix ; mais croyez-moi, ce n'est pas ce que vous imaginez ; ce n'est pas aussi grave ; et pour vous mettre un peu l'esprit en repos, je vous dirai une chose : dès l'instant où il me plaira de le faire je puis me débarrasser de M. Hyde. Là-dessus je vous serre la main, et merci encore et encore... Plus rien qu'un dernier mot, Utterson, dont vous ne vous formaliserez pas, j'en suis sûr ; c'est là une affaire privée, et je vous conjure de la laisser en repos.

Utterson, le regard perdu dans les flammes, resta songeur une minute.

— Je suis convaincu que vous avez parfaitement raison, finit-il par dire, tout en se levant de son siège.

— Allons, reprit le docteur, puisque nous avons abordé ce sujet, et pour la dernière fois j'espère, voici un point que je tiendrais à vous faire comprendre. Je porte en effet le plus vif intérêt à ce pauvre Hyde. Je sais que vous l'avez vu ; il me l'a dit ; et je crains qu'il ne se soit montré grossier. Mais je vous assure que je porte un grand, un très grand intérêt à ce jeune homme ; et si je viens à disparaître, Utterson, je désire que vous me promettiez de le soutenir et de sauvegarder ses intérêts. Vous n'y manqueriez pas, si vous saviez tout ; et cela me soulagerait d'un grand poids si vous vouliez bien me le promettre.

— Je ne puis vous garantir que je l'aimerai jamais, repartit le notaire.

— Je ne vous demande pas cela, insista Jekyll, en posant la main sur le bras de l'autre ; je ne vous demande rien que de légitime ; je vous demande uniquement de l'aider en mémoire de moi, lorsque je ne serai plus là.

Utterson ne put refréner un soupir.

— Soit, fit-il, je vous le promets [18].

IV

L'ASSASSINAT[19]
DE SIR DANVERS CAREW

Un an plus tard environ, au mois d'octobre 18.., un crime d'une férocité inouïe, et que rendait encore plus remarquable le rang élevé de la victime, vint mettre Londres en émoi. Les détails connus étaient brefs mais stupéfiants. Une domestique qui se trouvait seule dans une maison assez voisine de la Tamise était montée se coucher vers onze heures. Malgré le brouillard qui vers le matin s'abattit sur la ville, le ciel resta pur la plus grande partie de la nuit, et la pleine lune éclairait brillamment la rue sur laquelle donnait la fenêtre de la fille. Celle-ci, qui était sans doute en dispositions romanesques, s'assit sur sa malle qui se trouvait placée juste devant la fenêtre, et se perdit dans une profonde rêverie. Jamais (comme elle le dit, avec des flots de larmes, en racontant la scène), jamais elle ne s'était sentie plus en paix avec l'humanité, jamais elle n'avait cru davantage à la bonté du monde. Or, tandis qu'elle était là assise elle vit venir du bout de la rue un vieux et beau[20] gentleman à cheveux blancs ; et allant à sa rencontre, un autre gentleman tout petit, qui d'abord attira moins son attention. Lorsqu'ils furent à portée de s'adresser la parole (ce qui se produisit juste au-dessous de la fenêtre par où regardait la fille) le plus vieux salua l'autre, et l'aborda avec la plus exquise politesse. L'objet de sa requête ne devait pas avoir grande importance ; d'après son geste, à un moment, on eût dit qu'il se bornait à

demander son chemin ; mais tandis qu'il parlait la lune
éclaira son visage, et la fille prit plaisir à le considérer,
tant il respirait une aménité de caractère naïve et
désuète, relevée toutefois d'une certaine hauteur, provenant, eût-on dit, d'une légitime fierté. Puis elle
accorda un regard à l'autre, et eut l'étonnement de
reconnaître en lui un certain M. Hyde, qui avait une
fois rendu visite à son maître et pour qui elle avait
conçu de l'antipathie. Il tenait à la main une lourde
canne, avec laquelle il jouait, mais il ne répondait mot,
et semblait écouter avec une impatience mal contenue.
Et puis tout d'un coup il éclata d'une rage folle,
frappant du pied, brandissant sa canne, et bref, au dire
de la fille, se comportant comme un fou.

Le vieux gentleman, d'un air tout à fait surpris et un
peu offensé, fit un pas en arrière ; sur quoi M. Hyde
perdit toute retenue, et le frappant de son gourdin
l'étendit par terre. Et à l'instant même, avec une
fureur simiesque, il se mit à fouler aux pieds sa victime, et à l'accabler d'une grêle de coups telle qu'on
entendait les os craquer et que le corps rebondissait
sur les pavés. Frappée d'horreur à ce spectacle, la fille
perdit connaissance.

Il était deux heures lorsqu'elle revint à elle et alla
prévenir la police. L'assassin avait depuis longtemps
disparu, mais au milieu de la chaussée gisait sa victime, incroyablement abîmée. Le bâton, instrument
du forfait, bien qu'il fût d'un bois rare, très dense et
compact, s'était cassé en deux sous la violence de cette
rage insensée ; et un bout hérissé d'éclats en avait
roulé jusque dans le ruisseau voisin... tandis que
l'autre, sans doute, était resté aux mains du criminel.
On retrouva sur la victime une bourse et une montre
en or ; mais ni cartes de visite ni papiers, à l'exception
d'une enveloppe cachetée et timbrée, que le vieillard
s'en allait probablement mettre à la poste et qui portait
le nom et l'adresse de M. Utterson.

Cette lettre fut remise dans la matinée au notaire
comme il était encore couché. A peine eut-il jeté les
yeux sur elle, et entendu raconter l'événement, qu'il
prit un air solennel et dit :

— Je ne puis me prononcer tant que je n'aurai pas vu le corps ; mais c'est peut-être très sérieux. Ayez l'obligeance de me laisser le temps de m'habiller.

Et, sans quitter sa contenance grave, il expédia son déjeuner en hâte et se fit mener au poste de police, où l'on avait transporté le cadavre. A peine entré dans la cellule, il hocha la tête affirmativement.

— Oui, dit-il, je le reconnais. J'ai le regret de vous apprendre que c'est là le corps de sir Danvers Carew.

— Bon Dieu, monsieur, s'écria le commissaire, est-il possible ?

Et tout aussitôt ses yeux brillèrent d'ambition professionnelle. Il reprit :

— Ceci va faire un bruit énorme. Et peut-être pouvez-vous m'aider à retrouver le coupable.

Il raconta brièvement ce que la fille avait vu, et exhiba la canne brisée.

Au nom de Hyde, M. Utterson avait déjà dressé l'oreille, mais à l'aspect de la canne, il ne put douter davantage : toute brisée et abîmée qu'elle était, il la reconnaissait pour celle dont lui-même avait fait cadeau à Henry Jekyll, des années auparavant. Il demanda :

— Ce M. Hyde est-il quelqu'un de petite taille ?

— Il est remarquablement petit et a l'air remarquablement mauvais, telles sont les expressions de la fille, répondit le commissaire.

M. Utterson réfléchit ; après quoi, relevant la tête :

— Si vous voulez venir avec moi dans mon cab, je me fais fort de vous mener à son domicile.

Il était alors environ neuf heures du matin, et c'était le premier brouillard de la saison. Un vaste dais d'une teinte marron recouvrait le ciel, mais le vent ne cessait de harceler et de mettre en déroute ces bataillons de vapeurs. A mesure que le cab passait d'une rue dans l'autre, M. Utterson voyait se succéder un nombre étonnant de teintes et d'intensités crépusculaires : ici il faisait noir comme à la fin de la soirée ; là c'était l'enveloppement d'un roux dense et livide, pareil à une étrange lueur d'incendie ; et ailleurs, pour un instant, le brouillard cessait tout à fait, et par une hagarde trouée le jour perçait entre les nuées flo-conneuses. Vu sous ces aspects changeants, le triste quartier de Soho, avec ses rues boueuses, ses passants mal vêtus, et ses réverbères qu'on n'avait pas éteints ou qu'on avait rallumés pour combattre ce lugubre retour offensif des ténèbres, apparaissait, aux yeux du notaire, comme emprunté à une ville de cauchemar. Ses réflexions, en outre, étaient de la plus sombre couleur, et lorsqu'il jetait les yeux sur son compagnon de voiture, il se sentait effleuré par cette terreur de la justice et de ses représentants, qui vient assaillir par-fois jusqu'aux plus honnêtes.

Comme le cab s'arrêtait à l'adresse indiquée, le brouillard s'éclaircit un peu et lui laissa voir une rue sale, un grand bar populaire, un restaurant français de bas étage, une de ces boutiques où l'on vend des livraisons à deux sous et des salades à quatre, des tas d'enfants haillonneux grouillant sur les seuils, et des quantités de femmes de toutes les nationalités qui s'en allaient leur clef à la main, absorber le petit verre matinal. Presque au même instant le brouillard enve-loppa de nouveau cette région d'une ombre épaisse et lui déroba la vue de ce peu recommandable entourage. Ici habitait le familier de Henry Jekyll, un homme qui devait hériter d'un quart de million de livres sterling.

Une vieille à face d'ivoire et à cheveux d'argent vint ouvrir. Elle avait un visage méchant, masqué d'hypo-crisie ; mais elle se tenait à merveille. On était bien, en effet, chez M. Hyde, mais il se trouvait absent : il était rentré fort tard dans la nuit, mais était ressorti au bout d'une heure à peine ; ce qui n'avait rien de surprenant, car ses habitudes étaient fort irrégulières, et il s'absen-tait souvent : ainsi, il y avait hier près de deux mois qu'elle ne l'avait vu.

— Eh bien alors, dit le notaire, faites-nous voir ses appartements ; et, comme la vieille s'y refusait, il ajouta : Autant vous dire tout de suite qui est ce monsieur qui m'accompagne : c'est M. l'inspecteur Newcomen, de la Sûreté générale.

Un éclair de hideuse joie illumina le visage de la femme.

— Ah ! s'écria-t-elle, il a des ennuis ! Qu'est-ce qu'il a donc fait ?

M. Utterson échangea un regard avec l'inspecteur.

— Il n'a pas l'air des plus populaires, fit observer ce dernier. Et maintenant, ma brave femme, laissez-nous donc, ce monsieur et moi, jeter un coup d'œil à l'intérieur.

Dans toute l'étendue de la maison, où la vieille se trouvait absolument seule, M. Hyde ne s'était servi que de deux pièces, mais il les avait aménagées avec luxe et bon goût. Un réduit était garni de vins ; la vaisselle était d'argent, le linge fin ; on voyait au mur un tableau de maître, cadeau (supposa Utterson) de Henry Jekyll, qui était assez bon connaisseur ; et les tapis étaient moelleux et de tons discrets. A cette heure cependant, l'aspect des pièces révélait aussitôt qu'on venait d'y fourrager depuis peu et en toute hâte : des vêtements, les poches retournées, jonchaient le parquet ; des tiroirs à serrure restaient béants ; et la cheminée contenait un amas de cendres grisâtres, comme si on y avait brûlé une grande quantité de papiers. En remuant ce tas l'inspecteur découvrit, épargné par le feu, le talon d'un carnet de chèques vierge ; l'autre moitié de la canne se retrouva derrière la porte ; et comme ceci confirmait définitivement ses soupçons, le fonctionnaire se déclara enchanté. Une visite à la banque, où l'on trouva le compte de l'assassin crédité de plusieurs milliers de livres, mit le comble à sa satisfaction.

— Vous pouvez m'en croire, monsieur, affirma-t-il à M. Utterson, je le tiens. Il faut qu'il ait perdu la tête, sans quoi il n'eût jamais laissé derrière lui cette canne, ni surtout détruit ce carnet de chèques. L'argent, voyons, c'est la vie même pour lui. Nous n'avons plus rien d'autre à faire que de l'attendre à la banque, et de publier son signalement.

Ceci, toutefois, n'alla pas sans difficultés ; car peu de gens connaissaient M. Hyde : le maître même de la servante ne l'avait vu que deux fois ; sa famille demeurait introuvable ; il ne s'était jamais fait photographier ; et les rares personnes en état de le décrire différaient considérablement, selon la coutume des observateurs vulgaires. Ils ne s'accordaient que sur un point, à savoir : l'impression obsédante de difformité indéfinissable qu'on ressentait à la vue du fugitif.

V

L'INCIDENT DE LA LETTRE

Il était tard dans l'après-midi lorsque M. Utterson se présenta à la porte du Dr Jekyll, où il fut reçu aussitôt par Poole, qui l'emmena, par les cuisines et en traversant une cour qui avait été autrefois un jardin, jusqu'au corps de logis qu'on appelait indifféremment le laboratoire ou la salle de dissection. Le docteur avait racheté la maison aux héritiers d'un chirurgien fameux ; et comme lui-même s'occupait plutôt de chimie que d'anatomie, il avait changé la destination du bâtiment situé au fond du jardin. Le notaire était reçu pour la première fois dans cette partie de l'habitation de son ami. Il considérait avec curiosité ces murailles décrépies et dépourvues de fenêtres ; et ce furent des regards fâcheusement dépaysés qu'il promena autour de lui, lorsqu'il traversa l'amphithéâtre, jadis empli d'une foule d'étudiants attentifs et à cette heure vide et silencieux, avec ses tables surchargées d'instruments de chimie, son carreau encombré de touries et jonché de paille d'emballage sous le jour appauvri que laissait filtrer la coupole embrumée. A l'autre extrémité, des marches d'escalier aboutissaient à une porte revêtue de serge rouge, par où M. Utterson fut enfin admis dans le cabinet du docteur. C'était une vaste pièce, garnie tout autour d'étagères vitrées, meublée principalement d'une psyché et d'une table de travail, et ayant vue sur la cour par trois fenêtres poussiéreuses et grillées de fer. Le feu brûlait dans l'âtre ; une lampe allumée était disposée sur le rebord de la cheminée ; car même dans les intérieurs le brouillard commençait à s'épaissir ; et là, réfugié tout contre la flamme, était assis le Dr Jekyll, qui semblait très malade. Sans se lever pour venir à la rencontre de son visiteur, il lui tendit une main glacée et lui souhaita la bienvenue d'une voix altérée.

— Et alors, lui dit M. Utterson, dès que Poole se fut retiré, vous avez appris les nouvelles ?

Le docteur frissonna. Il répondit :

— On les criait sur la place ; je les ai entendues de ma salle à manger.

— Un mot, dit le notaire. Carew était mon client, mais vous l'êtes aussi, et je tiens à savoir ce que je fais. Vous n'avez pas été assez fou pour cacher ce garçon ?

— Utterson, je prends Dieu à témoin, s'écria le docteur, oui je prends Dieu à témoin que je ne le reverrai de ma vie. Je vous donne ma parole d'honneur que tout est fini dans ce monde entre lui et moi. C'est absolument fini. Et d'ailleurs, il n'a pas besoin de mon aide ; vous ne le connaissez pas comme je le connais ; il est à l'abri, il est tout à fait à l'abri, notez bien mes paroles, on n'aura plus jamais de ses nouvelles.

Le notaire l'écoutait d'un air soucieux : l'attitude fiévreuse de son ami lui déplaisait. Il répliqua :

— Vous semblez joliment sûr de lui, et dans votre intérêt je souhaite que vous ne vous trompiez pas. Si le procès avait lieu, votre nom y serait peut-être prononcé.

— Je suis tout à fait sûr de lui, reprit Jekyll ; ma certitude repose sur des motifs qu'il m'est interdit de révéler à quiconque. Mais il y a un point sur lequel vous pouvez me conseiller. J'ai... j'ai reçu une lettre ; et je me demande si je dois la communiquer à la police. Je m'en remettrais volontiers à vous, Utterson ; vous jugeriez sainement, j'en suis convaincu ; j'ai en vous la plus entière confiance.

— Vous craignez, j'imagine, que cette lettre ne puisse aider à le faire retrouver ? interrogea le notaire.

— Non, répondit l'autre. Je ne puis dire que je me soucie du sort de Hyde ; tout est fini entre lui et moi. Je songeais à ma réputation personnelle, que cette odieuse histoire a quelque peu mise en péril.

Utterson médita quelques instants : l'égoïsme de son ami le surprenait, tout en le rassurant.

— Eh bien, soit, conclut-il enfin, faites-moi voir cette lettre.

Elle était libellée d'une singulière écriture droite, et signée « Edward Hyde ». Elle déclarait, en termes assez laconiques, que le bienfaiteur du susdit Hyde, le Dr Jekyll, dont il avait longtemps si mal reconnu les mille bienfaits, ne devait éprouver aucune inquiétude au sujet de son salut, car il disposait de moyens d'évasion en lesquels il mettait une entière confiance. Cette lettre plut assez au notaire ; elle jetait sur cette liaison un jour plus favorable qu'il ne l'avait cru ; et il se reprocha quelques-unes de ses suppositions passées.

— Avez-vous l'enveloppe ? demanda-t-il.

— Je l'ai brûlée, répondit Jekyll, avant de songer à ce que je faisais. Mais elle ne portait pas de cachet postal. On a remis la lettre de la main à la main.

— Puis-je garder ce papier jusqu'à demain ? demanda Utterson. La nuit porte conseil.

— Je vous laisse entièrement juge de ma conduite, repartit l'autre. J'ai perdu toute confiance en moi.

— Eh bien, je réfléchirai, conclut le notaire. Et maintenant un dernier mot : c'est Hyde qui vous a dicté les termes de votre testament ayant trait à votre disparition possible ?

Un accès de faiblesse parut envahir le docteur : il serra les dents et fit un signe affirmatif.

— J'en étais sûr, dit Utterson. Il comptait vous assassiner. Vous l'avez échappé belle.

— Bien mieux que cela, répliqua le docteur avec gravité. J'ai reçu une leçon... O Dieu, Utterson, quelle leçon j'ai reçue !...

Et il resta un moment la face cachée entre ses mains.

Avant de quitter la maison, le notaire s'arrêta pour échanger quelques mots avec Poole.

— A propos, lui dit-il, on a apporté une lettre aujourd'hui. Quelle figure avait le messager ?

Mais Poole fut catégorique : le facteur seul avait apporté quelque chose ; « et il n'a remis que des imprimés », ajouta-t-il.

A cette nouvelle, le visiteur, en s'éloignant, sentit renaître ses craintes. D'évidence, la lettre était arrivée par la porte du laboratoire ; peut-être même avait-elle été écrite dans le cabinet ; et dans ce dernier cas, il fallait en juger différemment, et ne s'en servir qu'avec beaucoup de circonspection. Les vendeurs de journaux, sur son chemin, s'égosillaient au long des trottoirs : « Edition spéciale ! Abominable assassinat d'un membre du Parlement ! » C'était là pour lui l'oraison funèbre d'un client et ami ; et il ne pouvait s'empêcher d'appréhender plus ou moins que la bonne renommée d'un autre encore ne fût entraînée dans le tourbillon du scandale. En tout cas, la décision qu'il avait à prendre était scabreuse ; et en dépit de son assurance habituelle, il en vint peu à peu à désirer un conseil. Il ne pouvait être question de l'obtenir directement ; mais peut-être, se disait-il, arriverait-on à le soutirer par un détour habile.

Quelques minutes plus tard, il était chez lui, installé d'un côté de la cheminée, dont M. Guest, son principal clerc, occupait l'autre. A mi-chemin entre les deux, à une distance du feu judicieusement calculée, se dressait une bouteille d'un certain vieux vin qui avait longtemps séjourné à l'abri du soleil dans les caves de la maison. Le brouillard planait encore, noyant la ville, où les réverbères scintillaient comme des rubis ; et parmi l'asphyxiante opacité de ces nuages tombés du ciel, le cortège sans cesse renouvelé de la vie urbaine se déroulait parmi les grandes artères avec le bruit d'un vent véhément. Mais la lueur du feu égayait la chambre. Dans la bouteille les acides du vin s'étaient depuis longtemps résolus ; la pourpre impériale s'était atténuée avec l'âge, comme s'enrichit la tonalité d'un vitrail ; et la splendeur des chaleureuses après-midi d'automne sur les pentes des vignobles n'attendait plus que d'être libérée pour disperser les brouillards londoniens. Graduellement le notaire s'amollit. Il n'y avait personne envers qui il gardât moins de secrets que M. Guest et il n'était même pas toujours sûr d'en garder autant qu'il le désirait. Guest avait fréquemment été chez le docteur pour affaires ; il connaissait Poole ; il ne pouvait pas être sans avoir appris les accointances de M. Hyde dans la maison ; il avait dû en tirer ses conclusions ; ne valait-il donc pas mieux lui faire voir une lettre qui mettait ce mystère au point ? et cela d'autant plus que Guest, en sa qualité de grand amateur et expert en graphologie, considérerait la démarche comme naturelle et flatteuse ? Le clerc, en outre, était de bon conseil ; il n'irait pas lire un document aussi singulier sans lâcher une remarque ; et d'après cette remarque M. Utterson pourrait diriger sa conduite ultérieure.

— Bien triste histoire, cet assassinat de sir Danvers, prononça le notaire.

— Oui, monsieur, en effet. Elle a considérablement ému l'opinion publique, répliqua Guest. Le criminel, évidemment, était fou.

— J'aimerais savoir votre avis là-dessus, reprit Utterson. J'ai ici un document de son écriture ; soit dit entre nous, car je ne sais pas encore ce que je vais en faire ; c'est à tout prendre une vilaine histoire. Mais voici la chose ; tout à fait dans vos cordes ; un autographe d'assassin.

Le regard de Guest s'alluma, et il s'attabla aussitôt pour examiner le papier avec avidité.

— Non, monsieur, dit-il, ce n'est pas d'un fou ; mais c'est une écriture contrefaite.

— Comme son auteur, alors, car lui aussi est très contrefait.

A ce moment précis, le domestique entra, porteur d'un billet.

— Est-ce du Dr Jekyll, monsieur ? interrogea le clerc. Il m'a semblé reconnaître son écriture. Quelque chose de personnel, monsieur Utterson ?

— Une simple invitation à dîner. Pourquoi ? Vous désirez la voir ?

— Rien qu'un instant... Je vous remercie, monsieur.

Et le clerc, disposant les papiers côte à côte, compara attentivement leurs teneurs.

— Merci, monsieur, dit-il enfin, en lui restituant les deux billets ; c'est un autographe des plus intéressants.

Il y eut un silence, au cours duquel M. Utterson lutta contre lui-même. Puis il demanda tout à coup :

— Dites-moi : Guest, pourquoi les avez-vous comparés ?

— Eh bien, monsieur, répondit le clerc, c'est qu'ils présentent une assez singulière ressemblance ; les deux écritures sont sous beaucoup de rapports identiques ; elles ne diffèrent que par l'inclinaison.

— Assez singulier, dit Utterson.

— C'est, comme vous dites, assez singulier, répliqua Guest.

— Il vaut mieux que je ne parle pas de cette lettre, vous le voyez, dit le notaire.

— Non, monsieur, dit le clerc. Je comprends.

Mais M. Utterson ne fut pas plus tôt seul ce soir-là, qu'il enferma la lettre dans son coffre-fort, d'où elle ne bougea plus désormais. « Hé quoi ! songeait-il, Henry Jekyll devenu faussaire pour sauver un criminel ! »

Et il sentit dans ses veines courir un frisson glacé.

VI

LE REMARQUABLE INCIDENT
DU Dr LANYON

Le temps s'écoulait ; des milliers de livres étaient offertes en récompense, car la mort de sir Danvers Carew constituait un malheur public ; mais M. Hyde se dérobait aux recherches de la police tout comme s'il n'eût jamais existé. Son passé, toutefois, révélait beaucoup de faits également peu honorables : on apprenait des exemples de la cruauté de cet homme aussi insensible que brutal ; de sa vie de débauche, de ses étranges fréquentations, des haines qu'il avait provoquées autour de lui ; mais sur ses faits et gestes présents, pas le moindre mot. A partir de la minute où il avait quitté sa maison de Soho, le matin du crime, il s'était totalement évanoui. De son côté, à mesure que le temps passait, M. Utterson se remettait peu à peu de sa chaude alarme, et retrouvait sa placidité d'esprit. A son point de vue, la mort de sir Danvers était largement compensée par la disparition de M. Hyde. Depuis que cette mauvaise influence n'existait plus, une vie nouvelle avait commencé pour le Dr Jekyll. Il sortait de sa réclusion, voyait de nouveau ses amis, redevenait leur hôte et leur boute-en-train habituel ; et s'il avait toujours été connu pour ses charités, il se distinguait non moins à cette heure par sa religion. Il était actif, sortait beaucoup, se portait bien ; son visage semblait épanoui et illuminé par l'intime conscience de son utilité sociale. Bref, durant plus de deux mois, le docteur vécut en paix.

Le 8 janvier, Utterson avait dîné chez le docteur, en petit comité ; Lanyon était là ; et le regard de leur hôte allait de l'un à l'autre comme au temps jadis, alors qu'ils formaient un trio d'amis inséparables. Le 12, et à nouveau le 14, le notaire trouva porte close. « Le docteur, lui annonça Poole, s'était enfermé chez lui, et ne voulait recevoir personne. » Le 15, il fit une nouvelle tentative, et essuya le même refus. Comme il s'était réhabitué depuis deux mois à voir son ami presque quotidiennement, ce retour à la solitude lui pesa. Le cinquième soir, il retint Guest à dîner avec lui ; et le sixième, il se rendit chez le Dr Lanyon.

Là, du moins, on ne refusa pas de le recevoir ; mais lorsqu'il entra il fut frappé du changement qui s'était produit dans l'apparence du docteur. Celui-ci avait son arrêt de mort inscrit en toutes lettres sur son visage. Cet homme au teint florissant était devenu blême, ses chairs s'étaient flétries ; il était visiblement plus chauve et plus vieux ; mais ce qui retint l'attention du notaire plus encore que ces témoignages d'une prompte déchéance physique, ce fut une altération du regard et de la manière d'être qui semblait révéler une âme en proie à quelque terreur profonde. Il était peu vraisemblable que le docteur dût craindre la mort ; et ce fut néanmoins là ce qu'Utterson fut tenté de soupçonner.

« Oui, songeait-il, comme médecin, il ne peut manquer de savoir où il en est, et que ses jours sont comptés. Cette certitude l'accable. »

Et néanmoins, quand Utterson lui parla de sa mauvaise mine, ce fut avec un air de grande fermeté que Lanyon se déclara condamné.

— J'ai reçu un coup, dit-il, dont je ne me remettrai pas. Ce n'est plus qu'une question de semaines. Tant pis, la vie avait du bon ; je l'aimais ; oui, monsieur, je m'étais habitué à l'aimer. Je songe parfois que si nous savions tout, nous n'aurions plus d'autre désir que de disparaître.

— Jekyll est malade, lui aussi, remarqua Utterson. L'avez-vous vu ?

Mais Lanyon changea de visage, et il leva une main tremblante.

— Je refuse désormais de voir le Dr Jekyll ou d'entendre parler de lui, dit-il d'une voix forte et mal assurée. J'ai rompu à tout jamais avec cet homme et je vous prie de m'épargner toute allusion à quelqu'un que je considère comme mort.

M. Utterson eut un clappement de langue désapprobateur ; et après un long silence il demanda :

— Ne puis-je rien faire ? Nous sommes trois fort vieux amis, Lanyon ; nous ne vivrons plus assez longtemps pour en trouver d'autres.

— Il n'y a rien à faire, répliqua Lanyon ; interrogez-le lui-même.

— Il refuse de me voir, dit le notaire.

— Cela ne m'étonne pas, repartit l'autre. Un jour, Utterson, lorsque je serai mort, vous apprendrez peut-être les bonnes et les mauvaises raisons de cette rupture. Je ne puis vous les dire. Et en attendant, si vous vous sentez capable de vous asseoir et de parler d'autre chose, pour l'amour de Dieu, restez et faites-le ; mais si vous ne pouvez pas vous empêcher de revenir sur ce maudit sujet, alors, au nom de Dieu, allez-vous-en, car je ne le supporterais pas.

Sitôt rentré chez lui, Utterson se mit à son bureau et écrivit à Jekyll, se plaignant d'être exclu de chez lui et lui demandant la cause de cette fâcheuse brouille avec Lanyon. Le lendemain, il reçut une longue réponse, rédigée en termes le plus souvent très véhéments, mais çà et là d'une obscurité impénétrable. Le différend avec Lanyon était sans remède.

« Je ne blâme pas notre vieil ami, écrivait Jekyll, mais je partage son avis que nous ne devons jamais nous revoir. J'ai l'intention dorénavant de mener une vie extrêmement retirée ; il ne faut pas vous en étonner, et vous ne devez pas non plus douter de mon amitié, si ma porte est souvent condamnée même pour vous. Laissez-moi suivre ma voie ténébreuse. J'ai attiré sur moi un châtiment et un danger qu'il m'est interdit de préciser. Si je suis un grand coupable, je souffre aussi en proportion. Je ne croyais pas que cette terre pût renfermer des souffrances et des terreurs à ce point démoralisantes. La seule chose que vous puissiez faire pour alléger mon sort, Utterson, c'est de respecter mon silence. »

Utterson en fut stupéfait : la sinistre influence de Hyde avait disparu, le docteur était retourné à ses travaux et à ses amitiés d'autrefois ; huit jours plus tôt l'avenir le plus souriant lui promettait une vieillesse heureuse et honorée ; et voilà qu'en un instant, amitié, paix d'esprit, et toutes les joies de son existence sombraient à la fois. Une métamorphose aussi complète et aussi imprévue relevait de la folie ; mais d'après l'attitude et les paroles de Lanyon, elle devait avoir une raison plus profonde et cachée.

Au bout de huit jours, Lanyon s'alita, et en un peu moins d'une quinzaine il était mort. Le soir des funérailles, qui l'avaient affecté douloureusement, Utterson s'enferma à clef dans son cabinet de travail, et s'attablant à la lueur mélancolique d'une bougie, sortit et étala devant lui une enveloppe libellée de la main et scellée du cachet de son ami défunt. « CONFIDENTIEL. Destiné à J. G. Utterson SEUL et en cas de sien prédécès *à détruire tel quel* », disait la suscription impérative. Le notaire redoutait de passer au contenu. « J'ai déjà enterré un ami aujourd'hui, songeait-il ; qui sait si ce papier ne va pas m'en coûter un second ? » Mais il repoussa cette crainte comme injurieuse, et rompit le cachet. Il y avait à l'intérieur un autre pli également scellé, et dont l'enveloppe portait : « A n'ouvrir qu'au cas de mort ou de disparition du Dr Henry Jekyll. » Utterson n'en croyait pas ses yeux. Oui, le mot disparition y était bien ; ici encore, de même que dans l'absurde testament qu'il avait depuis longtemps restitué à son auteur, ici encore se retrouvait l'idée de disparition, accolée au nom d'Henry Jekyll. Mais dans le testament, cette idée avait jailli de la sinistre inspiration du sieur Hyde ; on ne l'y employait que dans un dessein trop clair et trop abominable. Ecrit de la main de Lanyon, que pouvait-il signifier ? Une grande curiosité envahit le dépositaire ; il fut tenté de passer outre à l'interdiction et de plonger tout de suite au fond de ces mystères ; mais l'honneur professionnel et la parole donnée à son ami défunt lui imposaient des obligations impérieuses ; et le paquet alla dormir dans le coin le plus reculé de son coffre-fort.

Il est plus facile de refréner sa curiosité que de l'abolir ; et on peut se demander si, à partir de ce jour, Utterson rechercha avec le même empressement la compagnie de son ami survivant. Il songeait à lui avec bienveillance ; mais ses pensées étaient inquiètes et pleines de crainte. Il alla bien pour lui faire visite ; mais il fut presque soulagé de se voir refuser l'entrée de chez lui ; peut-être, au fond, préférait-il causer avec Poole sur le seuil, à l'air libre et environné par les bruits de l'immense capitale, plutôt que d'être reçu dans ce domaine d'une volontaire servitude, pour rester à s'entretenir avec son impénétrable reclus. Poole n'avait d'ailleurs que des nouvelles assez fâcheuses à communiquer. Le docteur, d'après lui, se confinait de plus en plus dans le cabinet au-dessus du laboratoire, où il couchait même quelquefois ; il était triste et abattu, devenait de plus en plus taciturne, et ne lisait plus ; il semblait rongé de souci. Utterson s'accoutuma si bien à l'uniformité de ces rapports, qu'il diminua peu à peu la fréquence de ses visites.

VII

L'INCIDENT DE LA FENÊTRE

Un dimanche, comme M. Utterson faisait avec M. Enfield sa promenade coutumière, il arriva que leur chemin les fit passer de nouveau par la petite rue. Arrivés à hauteur de la porte, tous deux s'arrêtèrent pour la considérer.

— Allons, dit Enfield, voilà cette histoire-là enfin terminée. Nous ne reverrons plus jamais M. Hyde.

— Je l'espère, dit Utterson. Vous ai-je jamais raconté que je l'ai vu une fois, et que j'ai partagé votre sentiment de répulsion.

— L'un ne pouvait aller sans l'autre, répliqua Enfield. Et entre parenthèses combien vous avez dû me juger stupide d'ignorer que cette porte fût une sortie de derrière pour le Dr Jekyll ! C'est en partie de votre faute si je l'ai découvert par la suite.

— Alors, vous y êtes arrivé, en fin de compte ? reprit Utterson. Mais puisqu'il en est ainsi, rien ne nous empêche d'entrer dans la cour et de jeter un coup d'œil aux fenêtres. A vous parler franc, je ne suis pas rassuré au sujet de ce pauvre Jekyll ; et même du dehors, il me semble que la présence d'un ami serait capable de lui faire du bien.

Il faisait très froid et un peu humide dans la cour, et le crépuscule l'emplissait déjà, bien que le ciel, tout là-haut, fût encore illuminé par le soleil couchant. Des trois fenêtres, celle du milieu était à demi ouverte, et installé derrière, prenant l'air avec une mine d'une

désolation infinie, tel un prisonnier sans espoir, le
Dr Jekyll apparut à Utterson.

— Tiens ! vous voilà, Jekyll ! s'écria ce dernier.
Vous allez mieux, j'espère.

— Je suis très bas, Utterson, répliqua mornement le
docteur, très bas. Je n'en ai plus pour longtemps, Dieu
merci.

— Vous restez trop enfermé, dit le notaire. Vous
devriez sortir un peu, afin de vous fouetter le sang,
comme M. Enfield et moi (je vous présente mon cousin, M. Enfield... Le docteur Jekyll). Allons, voyons,
prenez votre chapeau et venez faire un petit tour avec
nous.

— Vous êtes bien bon, soupira l'autre. Cela me
ferait grand plaisir ; mais, non, non, non, c'est absolument impossible ; je n'ose pas. Quand même, Utterson, je suis fort heureux de vous voir, c'est pour moi
un réel plaisir ; je vous prierais bien de monter avec
M. Enfield, mais la pièce n'est vraiment pas en état.

— Ma foi, tant pis, dit le notaire, avec bonne
humeur, rien ne nous empêche de rester ici en bas et
de causer avec vous d'où vous êtes.

— C'est précisément ce que j'allais me hasarder à
vous proposer, répliqua le docteur avec un sourire.

Mais il n'avait pas achevé sa phrase, que le sourire
s'éteignit sur son visage et fit place à une expression
de terreur et de désespoir si affreuse qu'elle glaça
jusqu'à la moelle les deux gentlemen d'en bas. Ils ne
l'aperçurent d'ailleurs que dans un éclair, car la
fenêtre se referma instantanément ; mais cet éclair
avait suffi, et tournant les talons, ils sortirent de la cour
sans prononcer un mot. Dans le même silence, ils
remontèrent la petite rue ; et ce fut seulement à leur
arrivée dans une grande artère voisine, où persistaient
malgré le dimanche quelques traces d'animation, que
M. Utterson se tourna enfin et regarda son compagnon. Tous deux étaient pâles, et leurs yeux reflétaient
un effroi identique.

— Que Dieu nous pardonne, que Dieu nous pardonne, répéta M. Utterson.

Mais M. Enfield se contenta de hocher très grave-
ment la tête, et se remit à marcher en silence.

VIII

LA DERNIÈRE NUIT

Un soir après dîner, comme M. Utterson était assis au coin de son feu, il eut l'étonnement de recevoir la visite de Poole.

— Miséricorde, Poole, qu'est-ce qui vous amène ? s'écria-t-il ; et puis l'ayant considéré avec plus d'attention : Qu'est-ce qui vous arrive ? Est-ce que le docteur est malade ?

— Monsieur Utterson, dit l'homme, il y a quelque chose qui ne va pas droit.

— Prenez un siège, et voici un verre de vin pour vous, dit le notaire. Maintenant ne vous pressez pas, et exposez-moi clairement ce que vous désirez.

— Monsieur, répliqua Poole, vous savez que le docteur a pris l'habitude de s'enfermer. Eh bien, il s'est enfermé de nouveau dans son cabinet de travail ; et cela ne me plaît pas, monsieur... que je meure si cela me plaît. Monsieur Utterson, je vous assure, j'ai peur.

— Voyons, mon brave, dit le notaire, expliquez-vous. De quoi avez-vous peur ?

— Il y a déjà près d'une semaine que j'ai peur, répliqua Poole, faisant la sourde oreille à la question ; et je ne peux plus supporter ça.

La physionomie du domestique confirmait amplement ses paroles ; il n'avait plus aucune tenue ; et à part le moment où il avait d'abord avoué sa peur, il n'avait pas une seule fois regardé le notaire en face. A présent même, il restait assis, le verre de vin posé intact sur son genou, et le regard fixé sur un coin du parquet.

— Je ne peux plus supporter ça, répéta-t-il.

— Allons, Poole, dit le notaire, je vois que vous avez quelque bonne raison ; je vois qu'il y a quelque chose qui ne va réellement pas droit. Essayez de me raconter ce que c'est.

— Je crois qu'il s'est commis un mauvais coup, dit Poole, d'une voix rauque.

— Un mauvais coup ! s'exclama le notaire, passablement effrayé, et assez porté à se fâcher en conséquence. Quel mauvais coup ? Qu'est-ce que cela signifie ?

— Je n'ose pas dire, monsieur, reprit l'autre ; mais voulez-vous venir avec moi vous rendre compte par vous-même ?

Pour toute réponse, M. Utterson se leva et alla prendre son chapeau et son pardessus ; mais il fut tout étonné de voir quel énorme soulagement exprimaient les traits du maître d'hôtel, et il s'étonna peut-être autant de voir le vin toujours intact dans le verre du valet, lorsque celui-ci le déposa pour partir.

C'était une vraie nuit de mars, tempétueuse et froide ; un pâle croissant de lune, couché sur le dos comme si le vent l'eût culbuté, luisait sous un tissu diaphane et léger de fuyantes effilochures nuageuses. Le vent coupait presque la parole et sa flagellation mettait le sang au visage. Il semblait en outre avoir vidé les rues de passants plus qu'à l'ordinaire ; et M. Utterson croyait n'avoir jamais vu cette partie de Londres aussi déserte. Il eût préféré le contraire ; jamais encore il n'avait éprouvé un désir aussi vif de voir et de coudoyer ses frères humains ; car en dépit de ses efforts, il avait l'esprit accablé sous un angoissant pressentiment de catastrophe. Lorsqu'ils arrivèrent sur la place, le vent y soulevait des tourbillons de poussière, et les ramures squelettiques du jardin flagellaient les grilles. Poole, qui durant tout le trajet n'avait cessé de marcher un pas ou deux en avant, fit halte au milieu de la chaussée, et malgré l'âpre bise, il retira son chapeau et s'épongea le front avec un mouchoir de poche rouge. Mais en dépit de la course rapide, ce qu'il essuyait n'était pas la transpiration due à l'exercice, mais bien la sueur d'une angoisse qui l'étranglait, car sa face était blême et sa voix, lorsqu'il prit la parole, rauque et entrecoupée.

— Eh bien, monsieur, dit-il, nous y voici, et Dieu fasse qu'il ne soit pas arrivé de malheur.

— Ainsi soit-il, Poole, dit le notaire.

Là-dessus le valet heurta d'une façon très discrète ; la porte s'ouvrit, retenue par la chaîne ; et de l'intérieur une voix interrogea :

— C'est vous, Poole ?

— Tout va bien, répondit Poole. Ouvrez.

Le vestibule, où ils pénétrèrent, était brillamment éclairé ; on avait fait un grand feu, et autour de l'âtre toute la domesticité, mâle et femelle, se tenait rassemblée en tas comme un troupeau de moutons. A la vue de M. Utterson, la femme de chambre fut prise de geignements nerveux ; et la cuisinière, s'écriant : « Dieu merci ! voilà M. Utterson ! » s'élança au-devant de lui comme pour lui sauter au cou.

— Quoi donc ? quoi donc ? Que faites-vous tous ici ? interrogea le notaire avec aigreur. C'est très irrégulier, très incorrect ; s'il le savait, votre maître serait loin d'être satisfait.

— C'est qu'ils ont tous peur, dit Poole.

Nul ne protesta, et il se fit un grand silence ; on n'entendait que la femme de chambre, qui s'était mise à pleurer tout haut.

— Taisez-vous ! lui dit Poole, d'un ton furieux qui témoignait de son énervement personnel. (Et de fait, quand la femme de chambre avait tout à coup haussé la gamme de ses lamentations, tous avaient tressailli et s'étaient tournés vers la porte intérieure avec des airs de crainte et d'anxiété.) Et maintenant, continua le maître d'hôtel en s'adressant au marmiton, passez-moi un bougeoir, nous allons tirer cela au clair tout de suite.

Puis, ayant prié M. Utterson de le suivre, il l'emmena dans le jardin de derrière.

— A présent, monsieur, lui dit-il, vous allez faire le moins de bruit possible. Je tiens à ce que vous entendiez et je ne tiens pas à ce qu'on vous entende. Et surtout, monsieur, si par hasard il vous demandait d'entrer, n'y allez pas.

A cette conclusion imprévue, M. Utterson eut un sursaut nerveux qui manqua lui faire perdre l'équilibre ; mais il rassembla son courage et suivit le maître d'hôtel dans le bâtiment du laboratoire, puis traversant l'amphithéâtre de dissection, encombré de touries et de flacons, il arriva au pied de l'escalier. Là, Poole lui fit signe de se reculer de côté et d'écouter ; et lui-même, déposant le bougeoir et faisant un appel visible à toute sa résolution, monta les marches et d'une main mal assurée frappa sur la serge rouge de la porte du cabinet.

— Monsieur, c'est M. Utterson qui demande à vous voir, annonça-t-il.

Et en même temps, d'un geste impératif, il engagea le notaire à prêter l'oreille.

Une voix plaintive répondit de l'intérieur :

— Dites-lui qu'il m'est impossible de recevoir qui que ce soit.

— Bien, monsieur, dit Poole, avec dans la voix une sorte d'accent de triomphe.

Et, reprenant le bougeoir, il ramena M. Utterson par la cour jusque dans la grande cuisine, où le feu était éteint et où les blattes sautillaient sur le carreau.

— Monsieur, dit-il en regardant M. Utterson dans les yeux, était-ce la voix de mon maître ?

— Elle m'a paru bien changée, répondit le notaire, très pâle, mais sans détourner le regard.

— Changée ? Certes oui, je le pense, reprit le maître d'hôtel. Après vingt ans passés dans la demeure de cet homme, pourrais-je ne pas connaître sa voix ? Non, monsieur, on a fait disparaître mon maître ; on l'a fait disparaître, il y a huit jours, lorsque nous l'avons entendu invoquer le nom de Dieu ; et *qui* est là à l'intérieur à sa place, et *pourquoi* on reste là, monsieur Utterson, c'est une chose qui crie vengeance au Ciel !

— Voici un conte bien étrange, Poole, voici un conte plutôt invraisemblable, mon ami, dit M. Utterson, en se mordillant le doigt. A supposer qu'il en soit comme vous l'imaginez, à supposer que le Dr Jekyll ait été... eh bien, oui, assassiné, quel motif de rester pourrait avoir son meurtrier ? Cela ne tient pas debout, cela ne supporte pas l'examen.

— Eh bien, monsieur Utterson, vous êtes difficile à convaincre, mais je ne désespère pas d'y arriver, dit Poole. Toute cette dernière semaine, sachez-le donc, cet homme, ou cet être, ou ce je ne sais quoi qui loge dans le cabinet n'a cessé jour et nuit de réclamer à cor et à cri un certain médicament sans arriver à l'obtenir à son idée. Il lui arrivait de temps à autre... c'est de mon maître que je parle... d'écrire ses ordres sur une feuille de papier qu'il jetait dans l'escalier. Nous n'avons rien eu d'autre ces huit derniers jours ; rien que des papiers, et porte de bois ; et jusqu'aux repas qu'on lui laissait là, et qu'il rentrait en cachette lorsque personne ne le voyait. Eh bien, monsieur, tous les jours, oui, et même deux ou trois fois dans une seule journée, c'étaient des ordres et des réclamations, et il m'a fallu courir chez tous les droguistes en gros de la ville. Chaque fois que je rapportais le produit, c'était un nouveau papier pour me dire de le renvoyer parce qu'il n'était pas pur, et un nouvel ordre pour une autre maison. Ce produit, monsieur, on en a terriblement besoin, pour je ne sais quel usage.

— Avez-vous gardé quelqu'un de ces papiers ? demanda M. Utterson.

Poole fouilla dans sa poche et en sortit un billet tout froissé, que le notaire, se penchant plus près de la bougie, déchiffra avec attention. En voici le contenu : « Le Dr Jekyll présente ses salutations à MM. Maw. Il leur affirme que le dernier échantillon qu'ils lui ont fait parvenir est impur et absolument inutilisable pour son présent besoin. En l'année 18.., le Dr Jekyll en a acheté une assez grande quantité chez MM. Maw. Il les prie aujourd'hui de vouloir bien faire les recherches les plus diligentes, et s'il leur en reste un peu de la même qualité, de le lui envoyer aussitôt. Peu importe le coût. Ce produit est pour le Dr Jekyll d'une importance tout à fait exceptionnelle. » Jusqu'ici l'allure du billet s'était maintenue suffisamment normale, mais arrivé là, écorchant soudain le papier d'une plume rageuse, le scripteur avait donné libre cours à ses sentiments. « Pour l'amour de Dieu, ajoutait-il, retrouvez-m'en un peu de l'ancien ! »

— Voici un billet étrange, dit M. Utterson ; puis avec sévérité : Comment se fait-il que vous l'ayez, tout décacheté, en votre possession ?

— L'employé de chez Maw était si fort en colère, monsieur, qu'il me l'a rejeté comme de l'ordure, répondit Poole.

— C'est indiscutablement l'écriture du docteur, vous savez ? reprit le notaire.

— Je me disais bien qu'elle y ressemblait, dit le serviteur, mal convaincu. Et puis, sur un nouveau ton, il reprit : Mais qu'importe l'écriture, puisque je l'ai vu !

— Vous l'avez vu ? répéta M. Utterson. Et alors ?

— Tenez ! dit Poole, voici la chose. Je suis entré tout d'un coup dans l'amphithéâtre, venant du jardin. Il avait dû se glisser au-dehors pour se mettre en quête du produit, ou faire je ne sais quoi ; car la porte du cabinet était ouverte, et il se trouvait tout au fond de la salle en train de fourrager parmi les touries. A mon arrivée, il leva les yeux, poussa comme un cri plaintif, et s'enfuit par l'escalier jusque dans le cabinet. Je ne l'ai vu qu'une minute, mais les cheveux m'en ont dressé sur le crâne comme des baguettes. Dites, monsieur, si c'était là mon maître, pourquoi avait-il un masque sur la figure ? Si c'était mon maître, pourquoi a-t-il poussé ce cri de rat, et pourquoi s'est-il sauvé en me voyant ? Je l'ai servi assez longtemps. Et puis...

Mais l'homme se tut et se passa la main sur le visage.

— Toutes ces circonstances sont en effet bien bizarres, dit M. Utterson, mais je crois que je commence à y voir clair. Votre maître, Poole, est sans nul doute atteint d'une de ces maladies qui torturent à la fois et défigurent leur victime ; de là, selon toute probabilité, l'altération de sa voix ; de là le masque et son éloignement de ses amis ; de là son anxiété de trouver ce produit, grâce auquel la pauvre âme garde l'espoir d'une guérison finale. Dieu fasse que cet espoir ne soit pas trompé ! Voilà mon explication : elle est suffisamment triste, Poole, voire affreuse à envisager, mais elle est simple et naturelle, elle est cohérente, et elle nous délivre de toutes craintes exagérées.

— Monsieur, dit le maître d'hôtel, envahi d'une pâleur livide, cet être n'était pas mon maître, et voilà la vérité. Mon maître (et ce disant il regarda autour de lui et baissa la voix) est un homme grand et bien fait, et celui-ci était une sorte de nabot.

Utterson voulut protester.

— Oh ! monsieur, s'écria Poole, croyez-vous que je ne connaisse pas mon maître au bout de vingt ans ? Croyez-vous que je ne sache pas à quelle hauteur sa tête arrive dans l'encadrement de la porte du cabinet où je l'ai vu chaque matin de ma vie ? Non, monsieur, jamais ! Cet être au masque n'était pas le docteur Jekyll ; et c'est mon intime conviction qu'il y a eu assassinat.

— Poole, répliqua le notaire, dès lors que vous dites cela, je vais me trouver dans l'obligation de m'en assurer. Malgré tout mon désir de ménager les sentiments de votre maître, malgré tous mes doutes en présence de ce billet qui semble prouver qu'il est encore vivant, je dois considérer comme de mon devoir de forcer cette porte.

— Ah ! monsieur Utterson, voilà qui est parler, s'écria le maître d'hôtel.

— Et maintenant, passons à une autre question, reprit Utterson : qui va s'en charger ?

— Mais, vous et moi, monsieur, répliqua l'autre sans sourciller.

— Très bien dit, déclara le notaire, et quoi qu'il en résulte, je saurai faire en sorte que vous n'y perdiez rien.

— Il y a une hache[21] dans l'amphithéâtre, continua Poole, et vous pourriez prendre pour vous le tisonnier de la cuisine.

Le notaire s'empara de cet outil grossier mais pesant, et le brandit.

— Savez-vous, Poole, dit-il en levant les yeux que nous allons, vous et moi, nous exposer à un certain danger ?

— Certes, monsieur, vous pouvez bien le dire, répondit le maître d'hôtel.

— Il vaut donc mieux parler franc. Nous en savons l'un et l'autre plus long que nous n'en avons dit ; ne nous cachons plus rien. Cet individu masqué que vous avez vu, l'avez-vous reconnu ?

— Ma foi, monsieur, cela s'est fait si vite, et cette créature était tellement courbée en deux, que je n'en jurerais pas. Mais si vous voulez dire : était-ce M. Hyde ?... eh bien, oui, je crois que c'était lui ! Voyez-vous, il était à peu près de la même carrure, et il avait la même démarche leste et agile ; et d'ailleurs qui d'autre aurait pu s'introduire par la porte du laboratoire ? N'oubliez pas, monsieur, que lors du crime, il avait encore la clef sur lui. Mais ce n'est pas tout. Je ne sais, monsieur Utterson, si vous avez jamais rencontré ce M. Hyde ?

— Si fait, répliqua le notaire, j'ai causé une fois avec lui.

— En ce cas, vous devez savoir aussi bien que nous tous que ce gentleman avait quelque chose de bizarre... quelque chose qui vous retournait... je ne sais vraiment pas m'expliquer autrement que ceci : on se sentait devant lui comme un vide et un froid dans les moelles.

— J'avoue que j'ai éprouvé un peu ce que vous dites là, fit M. Utterson.

— Vous y êtes, monsieur. Eh bien ! quand cette créature masquée a jailli, tel un singe, d'entre les produits chimiques et a filé dans le cabinet, c'est comme de la glace qui m'est descendue le long de l'échine. Oh ! je sais bien que ce n'est pas une preuve, monsieur Utterson ; je suis assez instruit pour cela ; mais on a sa petite jugeotte, et je vous jure sur la Bible que c'était là M. Hyde.

— Soit, soit, dit le notaire. Mes craintes m'inclinent à le croire aussi. Du mal, j'en ai peur... il ne pouvait sortir que du mal de cette relation. Si fait, vraiment, je vous crois ; je crois que ce pauvre Harry a été tué ; et je crois que son assassin... dans quel but, Dieu seul pourrait le dire... s'attarde encore dans la demeure de sa victime. Eh bien ! nous lui apporterons la vengeance. Faites venir Bradshaw.

Le valet désigné arriva, très pâle et énervé.

— Remettez-vous, Bradshaw, lui dit le notaire. Cette attente, je le sais, vous est pénible à tous ; mais nous avons pris la résolution d'en finir. Poole et moi nous allons pénétrer de vive force dans le cabinet. Si tout est en règle, j'ai assez bon dos pour supporter la responsabilité. Cependant, de crainte qu'il n'y ait réellement du mauvais, ou qu'un malfaiteur ne tente de s'échapper par les derrières, vous ferez le tour par le coin avec le marmiton, munis d'une bonne trique chacun, et vous vous posterez à la porte du laboratoire. Nous vous laissons dix minutes pour prendre vos dispositions.

Tandis que Bradshaw s'éloignait, le notaire, consultant sa montre, ajouta :

— Et maintenant, Poole, prenons les nôtres.

Et emportant le tisonnier sous son bras, il s'avança le premier dans la cour. Les nuages s'étaient amoncelés devant la lune, et il faisait à cette heure tout à fait noir. Le vent, qui n'arrivait au fond de ce puits de bâtiments que par bouffées intermittentes, faisait vaciller la flamme de la bougie ; mais enfin ils arrivèrent dans l'abri de l'amphithéâtre, où ils s'assirent pour attendre en silence. La rumeur grandiose de Londres s'élevait de toutes parts ; mais à proximité immédiate, le silence n'était interrompu que par le bruit d'un pas allant et venant sur le parquet du cabinet.

— C'est ainsi qu'il marche toute la journée, monsieur, chuchota Poole ; oui, et voire la plus grande partie de la nuit. Il n'y a un peu de répit que quand il reçoit un nouvel échantillon de chez le droguiste. Ah ! il faut une bien mauvaise conscience pour être ainsi ennemi du repos. Ah ! monsieur, dans chacun de ces pas il y a du sang traîtreusement répandu ! Mais écoutez encore, d'un peu plus près... et dites-moi, monsieur Utterson, du fond du cœur : est-ce l'allure du docteur ?

Les pas résonnaient furtifs et légers, et quasi dansants malgré leur lenteur : ils différaient complètement de la marche pesante et sonore de Henry Jekyll. Utterson poussa un soupir et demanda :

— Est-ce qu'on n'entend jamais rien d'autre ?

Poole fit un signe affirmatif, et répondit :

— Si, une fois. Une fois, je l'ai entendu pleurer.

— Pleurer ? Comment cela ? reprit le notaire, envahi tout à coup d'un frisson d'horreur.

— Pleurer comme une femme ou comme une âme en peine, répondit le maître d'hôtel. Quand je suis parti, cela m'est resté sur le cœur, si bien que j'en aurais pleuré aussi.

Mais les dix minutes tiraient à leur fin. Poole sortit la hache de dessous un tas de paille d'emballage ; on déposa le bougeoir sur la table la plus proche afin d'y voir clair pour l'attaque ; et, retenant leur souffle, tous deux s'approchèrent du lieu où ce pas inlassable allait sans cesse de long en large, et de large en long, dans le calme de la nuit.

— Jekyll, appela Utterson d'une voix forte, je demande à vous voir.

Il se tut quelques instants, mais ne reçut de réponse. Il reprit :

— Je vous en préviens tout net, nos soupçons sont éveillés, il faut que je vous voie et je vous verrai : si ce n'est par la persuasion, ce sera autrement... si ce n'est de votre bon gré, ce sera par la violence.

— Utterson, cria la voix, pour l'amour de Dieu, ayez pitié !

— Ah ! ce n'est pas la voix de Jekyll... c'est celle de Hyde ! s'écria Utterson. Enfoncez la porte, Poole !

Poole balança la hache par-dessus son épaule ; sous le coup le bâtiment retentit, et la porte à serge rouge rebondit contre la serrure et les gonds. Du cabinet jaillit un hurlement de détresse, d'une épouvante tout animale. La hache se releva de nouveau, et de nouveau les panneaux craquèrent et l'encadrement sursauta. A quatre reprises le coup retomba, mais le bois était dur et la menuiserie solide. Ce fut seulement au cinquième que la serrure disjointe s'arracha et que les débris de la porte s'abattirent à l'intérieur sur le tapis.

Les assiégeants, intimidés par leur propre tapage et par le silence qui lui avait succédé hésitèrent un peu et regardèrent dans le cabinet qui s'étalait sous leurs yeux à la paisible lumière de la lampe. Un bon feu clair pétillait dans l'âtre, la bouilloire chantonnait son léger refrain, on voyait deux ou trois tiroirs ouverts, des papiers disposés en ordre sur la table de travail, et tout près du feu le nécessaire préparé pour le thé : on eût dit l'intérieur le plus tranquille, et, à part les étagères vitrées pleines d'instruments de chimie, le plus banal qu'il y eût ce soir-là dans tout Londres.

Au beau milieu gisait le corps d'un homme tordu par l'agonie et encore palpitant. Ils s'approchèrent à pas légers, le retournèrent sur le dos et reconnurent les traits de M. Hyde. Il était vêtu d'habits beaucoup trop grands pour lui, d'habits faits à la taille du docteur : les muscles de son visage vibraient encore d'une apparence de vie, mais la vie elle-même l'avait bien abandonné. La fiole broyée qu'il tenait encore, avec l'odeur d'amandes amères qui flottait dans la pièce, révélèrent à Utterson qu'il avait devant lui le cadavre d'un suicidé.

— Nous sommes arrivés trop tard, dit-il, d'un ton sévère, aussi bien pour sauver que pour punir. Hyde est allé trouver son juge ; il ne nous reste plus qu'à découvrir le corps de votre maître.

La portion du bâtiment de beaucoup la plus importante était occupée par l'amphithéâtre qui constituait
presque tout le rez-de-chaussée et recevait le jour d'en
haut, et par le cabinet, qui formait le premier étage à
un bout et prenait vue sur la cour. Un corridor reliait
l'amphithéâtre à la porte donnant sur la petite rue ; en
outre, le cabinet communiquait séparément avec
celle-ci par un second escalier. Il y avait aussi plusieurs
réduits obscurs et une vaste cave. Tout cela fut alors
minutieusement passé en revue. Chaque réduit n'exigea qu'un coup d'œil, car tous étaient vides et, à voir
la poussière qui tombait de leurs portes, aucun d'eux
n'avait de longtemps été ouvert. La cave, il est vrai,
était encombrée d'un amas d'objets hétéroclites,
datant pour la plupart de l'époque du chirurgien prédécesseur de Jekyll ; mais rien qu'en ouvrant la porte
ils furent avertis de l'inutilité de plus amples
recherches, par la chute d'un revêtement compact de
toiles d'araignées qui avaient depuis des ans
condamné l'entrée. Nulle part on ne voyait trace de
Henry Jekyll, ni mort ni vivant.

Poole frappa du pied les dalles du corridor.

— Il doit être enterré là, dit-il en prêtant l'oreille à
la résonance.

— A moins qu'il se soit enfui, dit Utterson.

Et il s'en alla examiner la porte de la petite rue. Elle
était fermée de l'intérieur ; et tout auprès, gisant sur
les dalles, se trouvait la clef, déjà tachée de rouille.

— Elle n'a pas l'air de servir beaucoup, remarqua le
notaire.

— De servir ! répéta Poole. Ne voyez-vous donc
pas, monsieur, qu'elle est brisée comme si quelqu'un
avait donné un coup de talon dessus ?

— C'est juste, fit Utterson, et même les cassures
sont rouillées.

Les deux hommes s'entre-regardèrent, ébahis.

— Ceci me dépasse, Poole, dit le notaire. Retournons dans le cabinet.

Ils gravirent l'escalier en silence, et non sans jeter
par intervalles au cadavre un regard terrifié, se mirent

à examiner plus en détail le contenu de la pièce. Sur
une table se voyaient des traces d'opérations
chimiques, plusieurs tas dosés d'un sel blanchâtre
étaient préparés sur des soucoupes de verre, comme
pour une expérience au milieu de laquelle le mal-
heureux avait été interrompu.

— C'est là ce même produit que j'allais tout le
temps lui chercher, dit Poole.

Et il n'avait pas achevé sa phrase que la bouilloire
déborda à grand bruit.

Ceci les amena vers la cheminée, auprès de laquelle
le fauteuil était frileusement tiré, avec le nécessaire à
thé tout disposé à portée de la main, jusqu'à la tasse
garnie de sucre. Un rayonnage supportait quelques
volumes ; l'un d'eux gisait ouvert à côté du plateau à
thé, et Utterson y reconnut avec stupeur un exem-
plaire d'un ouvrage édifiant, pour lequel Jekyll avait
maintes fois exprimé une vive estime, et qui se trouvait ici annoté de scandaleux blasphèmes écrits de sa
propre main.

Continuant de passer en revue la pièce, les deux
perquisiteurs arrivèrent à la psyché, et ils regardèrent
dans ses profondeurs avec un effroi involontaire ; mais
elle était tournée de façon à ne leur montrer que la
rose lueur se jouant au plafond, le feu scintillant en
multiples reflets sur les vitres des étagères, et leurs
propres physionomies pâles et terrifiées, penchées sur
leur image.

— Ce miroir a vu d'étranges choses, monsieur,
chuchota Poole.

— Il ne peut avoir rien vu de plus étrange que
lui-même, répliqua le notaire sur le même ton. Car
que faisait Jekyll...

Il s'interrompit avec un sursaut, et puis surmontant
sa faiblesse :

— Quel besoin d'une psyché pouvait bien avoir
Jekyll ?

— Vous avez raison de le dire, dit Poole.

Ils s'occupèrent ensuite de la table de travail. Sur le
pupitre, au milieu des papiers rangés avec soin, s'éta-

lait par-dessus tout une grande enveloppe qui portait, écrit de la main du docteur, le nom de M. Utterson. Le notaire la décacheta, et plusieurs plis s'en échappèrent et tombèrent sur le plancher. Le premier contenait une déclaration rédigée dans les mêmes termes extravagants que celle restituée six mois plus tôt, et destinée à servir de testament en cas de mort, et d'acte de donation en cas de disparition, mais remplaçant le nom de Hyde, le notaire y lut, avec un étonnement indescriptible, le nom de Gabriel-John Utterson. Il regarda successivement Poole, puis de nouveau le papier, et enfin le défunt criminel étendu sur le parquet.

— La tête m'en tourne, dit-il. Il a eu ceci à sa disposition tous ces derniers jours, il n'avait aucune raison de m'aimer ; il devait être furieux de se voir évincé ; et il n'a pas détruit ce document !

Il passa au pli suivant : c'était un court billet de la main du docteur et daté dans le haut.

— Oh, Poole, s'écria le notaire, il était ici, et vivant, aujourd'hui même. On ne peut l'avoir fait disparaître en aussi peu de temps : il doit être encore vivant, il doit s'être enfui ?... Au reste, pourquoi fuir ? et comment ? et dans ce cas peut-on se hasarder à appeler cela un suicide ? Oh, il nous faut être circonspects. Je pressens que nous pouvons encore entraîner votre maître dans quelque déplorable catastrophe.

— Pourquoi ne lisez-vous pas, monsieur ? demanda Poole.

— Parce que j'ai peur, répondit le notaire d'un ton tragique, Dieu veuille que je n'en aie pas de motif !

Et là-dessus il approcha le papier de ses yeux et lut ce qui suit :

« Mon cher Utterson,

« Lorsque ce mot tombera entre vos mains, j'aurai disparu, d'une façon que je n'ai pas la clairvoyance de prévoir, mais mon instinct, comme la nature de la situation sans nom dans laquelle je me trouve, me disent que ma fin est assurée et qu'elle ne tardera plus. Adieu donc, et lisez d'abord le récit que Lanyon m'a promis de vous faire parvenir ; puis si vous désirez en savoir davantage passez à la confession de

« Votre ami indigne et infortuné,

« HENRY JEKYLL. »

— Il y avait un troisième pli ? demanda Utterson.

— Le voici, monsieur, répondit Poole.

Et il lui tendit un paquet volumineux revêtu de plusieurs cachets.

Le notaire le mit dans sa poche.

— Je ne parlerai pas de ce papier. Que votre maître ait fui ou qu'il soit mort, nous pouvons du moins sauver sa réputation. Il est maintenant dix heures : je vais rentrer chez moi et lire en paix ces documents ; mais je serai de retour avant minuit, c'est alors que nous enverrons chercher la police.

Ils sortirent, refermant à clef derrière eux la porte de l'amphithéâtre ; et Utterson, laissant encore une fois les serviteurs réunis autour du feu dans le vestibule, se rendit à son bureau pour lire les deux récits où il devait enfin trouver l'explication du mystère.

IX

LA NARRATION DU Dr LANYON

Le 9 janvier, il y a de cela quatre jours, je reçus par la distribution du soir une lettre recommandée, que m'adressait de sa main mon collègue et ancien camarade de classe, Henry Jekyll. J'en fus très surpris, car nous n'avions pas du tout l'habitude de correspondre ; je l'avais vu, j'avais même dîné avec lui, le soir précédent ; et je ne concevais dans nos rapports rien qui pût justifier la formalité de la recommandation. Le contenu de cette lettre augmenta ma surprise ; car voici ce qu'elle renfermait :

« Le 10 *décembre* 18..²²

« Mon cher Lanyon,

« Vous êtes l'un de mes plus anciens amis ; et bien que nous puissions avoir différé parfois d'avis sur des questions scientifiques, je ne me rappelle, du moins de mon côté, aucune infraction à notre bonne entente. Il n'y a pas eu de jour où, si vous m'aviez dit : Jekyll, ma vie, mon honneur, ma raison, dépendent de vous, je n'eusse, pour vous sauver, sacrifié ma fortune, ou ma main gauche. Lanyon, ma vie, mon honneur, ma raison, tout cela est à votre merci : si vous ne venez à mon aide, cette nuit, je suis perdu. Vous pourriez supposer, après cet exorde, que je vais vous demander quelque chose de déshonorant. Jugez-en par vous-même.

« Je désire que vous renonciez pour ce soir à tous
autres engagements... fussiez-vous mandé au chevet
d'un empereur ; que vous preniez un cab, à moins que
vous n'ayez justement votre voiture à la porte ; et
muni de cette lettre-ci comme référence, que vous
vous fassiez conduire tout droit à mon domicile.
Poole, mon maître d'hôtel, est prévenu ; vous le trouverez vous attendant avec un serrurier. Il vous faut
alors faire crocheter la porte de mon cabinet, où vous
entrerez seul ; vous ouvrirez la vitrine marquée d'un
E, à main gauche, en forçant la serrure au besoin si
elle était fermée ; et vous y prendrez, *avec son contenu
tel quel*, le quatrième tiroir à partir du haut, ou (ce qui
revient au même) le troisième à partir du bas. Dans
mon excessive angoisse, j'ai une peur maladive de
vous mal renseigner ; mais même si je suis dans
l'erreur, vous reconnaîtrez le bon tiroir à son contenu :
des paquets de poudres, une fiole et un cahier de
papier. Ce tiroir, je vous conjure de le rapporter avec
vous à Cavendish Square exactement comme il se
trouve.

« Telle est la première partie du service ; passons à
la seconde. Vous serez de retour, si vous vous mettez
en route dès la réception de la présente, bien avant
minuit, mais je tiens à vous laisser toute cette marge,
non seulement dans la crainte d'un de ces obstacles
qu'on ne peut ni empêcher ni prévoir, mais parce qu'il
vaut mieux, pour ce qui vous restera à faire, choisir
une heure où vos domestiques seront couchés. A
minuit donc, je vous prierai de vous trouver seul dans
votre cabinet de consultation, d'introduire vous-même
chez vous un homme qui se présentera de ma part, et
de lui remettre le tiroir que vous serez allé chercher
dans mon cabinet.

« Vous aurez alors joué votre rôle et mérité mon
entière gratitude. En cinq minutes de plus, si vous
insistez pour avoir une explication, vous aurez
compris l'importance capitale de ces dispositions, et
qu'il vous suffirait d'en négliger une seule, pour vous
mettre sur la conscience ma mort ou le naufrage de
ma raison.

« Malgré ma certitude que vous ne prendrez pas cette requête à la légère, le cœur me manque et ma main tremble à la seule idée d'une telle possibilité. Songez que je suis à cette heure dans un lieu étranger, à me débattre sous une noire détresse qu'aucune imagination ne saurait égaler, et pourtant bien assuré que, si vous m'obligez ponctuellement, mes tribulations s'évanouiront comme un rêve. Obligez-moi, mon cher Lanyon, et sauvez

« Votre ami,
« H. J. »

« P.-S. — J'avais déjà fermé l'enveloppe quand une nouvelle crainte m'a frappé. Il peut arriver que la poste trompe mon attente, et que cette lettre ne vous parvienne pas avant demain matin. Dans ce cas, mon cher Lanyon, faites ma commission lorsque cela vous sera le plus commode dans le courant de la journée ; et encore une fois attendez mon messager à minuit. Il sera peut-être alors déjà trop tard ; et si la nuit se passe sans que vous voyez rien venir, sachez que c'en sera fait de Henry Jekyll. »

La lecture de cette lettre me persuada que mon collègue était devenu fou ; mais tant que je n'en avais pas la preuve indéniable, je me voyais contraint de faire comme il m'en priait. Moins je voyais clair dans ce brouillamini, moins j'étais en situation de juger de son importance ; et on ne pouvait, sans prendre une responsabilité grave, rejeter une prière libellée en pareils termes.

Je me levai donc de table, pris une voiture, et me rendis droit chez le Dr Jekyll. Le maître d'hôtel m'attendait : il avait reçu par le même courrier que moi une lettre recommandée contenant des instructions et avait envoyé aussitôt chercher un serrurier et un menuisier. Ces deux artisans arrivèrent tandis que nous causions encore ; et nous nous rendîmes tous ensemble à l'ancien amphithéâtre anatomique du Dr Denman, par où (comme vous le savez sans

doute) on accède le plus aisément au cabinet personnel du Dr Jekyll.

La porte en était solide, la serrure excellente ; le
menuisier avoua qu'il aurait beaucoup de mal et qu'il
lui faudrait faire beaucoup de dégâts, si l'on devait
recourir à la violence ; et le serrurier désespérait
presque. Mais ce dernier était un garçon de ressource ;
et au bout de deux heures de travail, la porte fut
ouverte. La vitrine marquée d'un E n'était pas fermée
à clef ; je pris le tiroir, le fis garnir de paille et emballer
dans un drap de lit, puis je retournai avec l'objet à
Cavendish Square.

Là, je me mis en devoir d'examiner son contenu.
Les paquets de poudres étaient assez proprement
faits, mais non pas avec l'élégance du droguiste de
profession ; je compris sans peine qu'ils étaient de la
fabrication personnelle de Jekyll. En ouvrant l'un de
ces paquets, je trouvai ce qui me parut être un simple
sel cristallin de couleur blanche. La fiole, dont je
m'occupai ensuite, pouvait être à moitié pleine d'un
liquide rouge sang, qui piquait fortement aux narines
et qui me parut contenir du phosphore et un éther
volatil. Quant aux autres ingrédients, je dus m'abstenir
de conjectures. Le cahier était un banal cahier d'écolier et contenait presque uniquement une série de
dates. Celles-ci embrassaient une période de plusieurs
années, mais je remarquai que les écritures avaient
cessé depuis près d'un an et sans aucune transition.
Çà et là une date se complétait d'une brève annota-
tion, en général bornée à un unique mot, tel que :
« doublé », qui se présentait peut-être six fois dans un
total de plusieurs centaines d'écritures ; ou encore,
une seule fois, tout au début de la liste et suivie de
plusieurs points d'exclamation, cette mention :
« Echec complet[23] ! ! ! »

Tout ceci, quoique fouettant ma curiosité, ne me
disait pas grand-chose de précis. J'avais là une fiole
contenant une teinture quelconque, une dose d'un sel,
et le journal d'une série d'expériences qui n'avaient
(comme trop de recherches de Jekyll) abouti à aucun

résultat d'une utilité pratique. En quoi la présence de ces objets dans ma maison pouvait-elle affecter aussi bien l'honneur que l'intégrité mentale ou la vie de mon collègue en fuite ? Si son messager pouvait venir en un lieu, pourquoi ne pouvait-il aussi bien aller en un autre ? Et même dans l'hypothèse d'un empêchement, pourquoi ce citoyen-là devait-il être reçu par moi en secret ? Plus je réfléchissais, plus je me convainquais d'avoir affaire à un cas de dérangement cérébral ; aussi, tout en envoyant mes domestiques se coucher, je chargeai un vieux revolver afin de me trouver en état de me défendre.

Les douze coups de minuit avaient à peine retenti sur Londres, que l'on heurta tout doucement à ma porte. J'allai moi-même ouvrir, et trouvai un petit homme qui se dissimulait contre les pilastres du porche.

— Venez-vous de la part du Dr Jekyll ? lui demandai-je.

Il me fit signe que oui, d'un geste contraint ; et lorsque je l'eus invité à entrer, il ne m'obéit qu'après avoir jeté en arrière un regard inquisiteur dans les ténèbres de la place. Non loin, un policeman s'avançait la lanterne au poing. A cette vue il me sembla que mon visiteur tressaillait et se hâtait davantage.

Ces particularités me frappèrent, je l'avoue, désagréablement ; et, tandis que je le suivais jusque dans la brillante clarté de mon cabinet de consultation je me tins prêt à faire usage de mon arme. Là, enfin, j'eus tout loisir de le bien voir. Ce qui du moins était sûr, c'est que je ne l'avais jamais rencontré auparavant. Il était petit, comme je l'ai déjà dit ; en outre je fus frappé par l'expression repoussante de sa physionomie, par l'aspect exceptionnel qu'il présentait, d'une grande activité musculaire jointe à une non moins grande faiblesse apparente de constitution, et enfin, et plus encore peut-être, par le singulier trouble physiologique que son voisinage produisait en moi. Ce trouble présentait quelque analogie avec un début d'ankylose, et s'accompagnait d'un notable affaiblissement du pouls. Sur le moment, je l'attribuai à quelque antipathie personnelle et idiosyncrasique, et m'étonnai simplement de l'acuité de ses manifestations ; mais j'ai eu depuis des raisons de croire que son origine était située beaucoup plus profondément dans mon humaine nature, et procédait d'un mobile plus noble que le sentiment de la haine.

Cet individu (qui avait ainsi, dès le premier instant de son arrivée, excité en moi une curiosité que je qualifierais volontiers de malsaine) était vêtu d'une façon qui aurait rendu grotesque une personne ordinaire ; car ses habits, quoique d'un tissu coûteux et de bon goût, étaient démesurément trop grands pour lui dans toutes les dimensions : son pantalon lui retombait sur les jambes, et on l'avait retroussé par en bas pour l'empêcher de traîner à terre, la taille de sa redingote lui venait au-dessous des hanches, et son col bâillait largement sur ses épaules. Chose singulière à dire, cet accoutrement[24] funambulesque était loin de me donner envie de rire. Au contraire, comme il y avait dans l'essence même de l'individu que j'avais alors en face de moi quelque chose d'anormal et d'avorté — quelque chose de saisissant, de surprenant et de révoltant — ce nouveau disparate semblait fait uniquement pour s'accorder avec le premier et le renforcer ; si bien qu'à mon intérêt envers la nature et le caractère de cet homme, s'ajoutait une curiosité concernant son origine, sa vie, sa fortune et sa situation dans le monde.

Ces remarques, auxquelles j'ai dû donner ici un tel développement, ne me prirent en réalité que quelques secondes. Mon visiteur était, du reste, trépidant d'une farouche agitation.

— L'avez-vous ? s'écria-t-il. L'avez-vous ? Et dans l'excès de son impatience il alla jusqu'à me prendre par le bras comme pour me secouer.

A son contact je sentis dans mes veines une sorte de douleur glaciale. Je le repoussai.

— Voyons, monsieur, lui dis-je. Vous oubliez que je n'ai pas encore eu le plaisir de faire votre connaissance. Asseyez-vous, je vous prie.

Et pour lui montrer l'exemple, je m'installai moi-même dans mon fauteuil habituel en imitant mes façons ordinaires avec un malade, aussi bien que me le permettaient l'heure tardive, la nature de mes préoccupations, et l'horreur que m'inspirait mon visiteur.

— Je vous demande pardon, docteur Lanyon, répliqua-t-il assez poliment. Ce que vous dites là est tout à fait juste ; et mon impatience a devancé ma politesse. Je suis venu ici à la requête de votre collègue, le Dr Henry Jekyll, pour une affaire d'importance ; et à ce que j'ai compris... (Il s'interrompit ; porta la main à sa gorge, et je pus voir, en dépit de son attitude calme, qu'il luttait contre les approches d'une crise de nerfs.) A ce que j'ai compris, un tiroir...

Mais j'eus pitié de l'angoisse de mon visiteur, non moins peut-être que de ma croissante curiosité.

— Le voici, monsieur, répondis-je, en désignant le tiroir, déposé sur le parquet derrière une table et toujours recouvert de son drap.

Il bondit vers l'objet, puis fit halte, et porta la main à son cœur. J'entendais ses dents grincer par le jeu convulsif de ses mâchoires ; et son visage m'apparut si hagard que je m'en alarmai autant pour sa vie que pour sa raison.

— Remettez-vous, lui dis-je.

Il m'adressa un sourire hideux, et avec le courage du désespoir, il arracha le drap. A la vue du contenu du tiroir, il poussa un grand sanglot exprimant une délivrance si énorme que j'en restai pétrifié. Et dans le même instant, d'une voix redevenue déjà presque naturelle, il me demanda :

— Auriez-vous un verre gradué ?

Je me levai de mon siège avec un certain effort et lui donnai ce qu'il désirait.

Il me remercia d'un geste souriant, mesura quelques gouttes de la teinture rouge, et y ajouta l'une des doses de poudre. La mixture, d'une teinte rougeâtre au début, commença, à mesure que les cristaux se dissolvaient, à foncer en couleur, avec une effervescence notable, et à émettre de petits jets de vapeur.

Tout à coup l'ébullition prit fin, et presque en même temps la combinaison devint d'un pourpre violacé, qui se changea de nouveau et plus lentement en un vert glauque. Mon visiteur, qui suivait ces transformations d'un œil avide, sourit, déposa le verre sur la table, puis se tournant vers moi, me regarda d'un œil scrutateur.

— Et maintenant, dit-il, réglons la suite. Voulez-vous être raisonnable ? écouter mon avis, me permettre d'emporter ce verre avec moi et de sortir d'ici sans autre commentaire ? Ou bien l'excès de votre curiosité l'emporte-t-il ? Réfléchissez avant de répondre, car il en sera fait selon votre volonté. Selon votre volonté, je vous laisserai tel que vous étiez auparavant, ni plus riche, ni plus savant, à moins que la conscience du service rendu à un homme en danger de mort puisse être comptée parmi les richesses de l'âme. Ou bien, si vous le préférez, un nouveau domaine du savoir et de nouveaux chemins conduisant à la puissance et à la renommée vous seront ouverts, ici même, dans cette pièce, sans plus tarder ; et vos regards seront éblouis d'un prodige capable d'ébranler l'incrédulité de Lucifer.

— Monsieur, dis-je, affectant un sang-froid que j'étais loin de posséder en réalité, vous parlez par énigmes, et vous ne vous étonnerez peut-être pas de ce que je vous écoute avec une assez faible conviction. Mais je me suis avancé trop loin dans la voie des services inexplicables pour m'arrêter avant d'avoir vu la fin.

— C'est bien, répliqua mon visiteur. Lanyon, rappelez-vous vos serments : ce qui va suivre est sous le sceau du secret professionnel. Et maintenant, vous qui êtes resté si longtemps attaché aux vues les plus étroites et les plus matérielles, vous qui avez nié la vertu de la médecine transcendante, vous qui avez raillé vos supérieurs, voyez !

Il porta le verre à ses lèvres et but d'un trait. Un cri retentit ; il râla, tituba, se cramponna à la table, et se maintint debout, les yeux fixes et injectés, haletant, la bouche ouverte ; et tandis que je le considérais, je crus voir en lui un changement... il me parut se dilater... sa face devint brusquement noire et ses traits semblèrent se fondre et se modifier... et un instant plus tard je me dressais d'un bond, me rejetant contre la muraille, le bras levé pour me défendre du prodige, l'esprit confondu de terreur.

— O Dieu ! m'écriai-je. Et je répétai à plusieurs reprises : « O Dieu ! » car là, devant moi, pâle et défait, à demi évanoui, et tâtonnant devant lui avec ses mains, tel un homme ravi au tombeau, se tenait Henry Jekyll !

Ce qu'il me raconta durant l'heure qui suivit, je ne puis me résoudre à l'écrire. Je vis ce que je vis, j'entendis ce que j'entendis, et mon âme en défaillit ; et pourtant à l'heure actuelle où ce spectacle a disparu de devant mes yeux je me demande si j'y crois et je ne sais que répondre. Ma vie est ébranlée jusque dans ses racines ; le sommeil m'a quitté ; les plus abominables terreurs m'assiègent à toute heure du jour et de la nuit ; je sens que mes jours sont comptés et que je vais mourir ; et malgré cela je mourrai incrédule.

Quant à l'abjection morale que cet homme me dévoila, non sans des larmes de repentir, je ne puis, même à distance, m'en ressouvenir sans un sursaut d'horreur.

Je n'en dirai qu'une chose, Utterson, et (si toutefois vous pouvez vous résoudre à y croire) ce sera plus que suffisant. L'individu qui, cette nuit-là, se glissa dans ma demeure était, de l'aveu même de Jekyll, connu sous le nom de Hyde et recherché dans toutes les parties du monde comme étant l'assassin de Carew.

HASTIE LANYON.

X

HENRY JEKYLL FAIT L'EXPOSÉ COMPLET DE SON CAS

Je suis né en l'an 18... Héritier d'une belle fortune, doué en outre de facultés remarquables, incité par nature au travail, recherchant la considération des plus sages et des meilleurs d'entre mes contemporains, j'offrais de la sorte, aurait-on pu croire, toutes les garanties d'un avenir honorable et distingué. Et de fait, le pire de mes défauts était cette vive propension à la joie qui fait le bonheur de beaucoup, mais que je trouvais difficile de concilier avec mon désir impérieux de porter la tête haute, et de revêtir en public une mine plus grave que le commun des mortels. Il résulta de là, que je ne me livrai au plaisir qu'en secret ; et lorsque j'atteignis l'âge de la réflexion, et commençai à regarder autour de moi et à me rendre compte de mes progrès et de ma situation dans le monde, je me trouvais déjà réduit à une profonde dualité d'existence. Plus d'un homme aurait tourné en plaisanterie les licences dont je me rendais coupable ; mais des hauteurs idéales que je m'étais assignées je les considérais et les dissimulais avec un sentiment de honte presque maladif. Ce fut donc le caractère tyrannique de mes aspirations, bien plutôt que des vices particulièrement dépravés, qui me fit ce que je devins, et, par une coupure plus tranchée que chez la majorité des hommes, sépara en moi ces domaines du bien et du mal où se répartit et dont se compose la double nature de l'homme.

Dans mon cas particulier, je fus amené à méditer de façon intense et prolongée sur cette dure loi de l'existence qui se trouve à la base de la religion et qui constitue l'une des sources de tourments les plus abondantes. Malgré toute ma duplicité, je ne méritais nullement le nom d'hypocrite : les deux faces de mon moi étaient également d'une sincérité parfaite ; je n'étais pas plus moi-même quand je rejetais la contrainte et me plongeais dans le vice, que lorsque je travaillais, au grand jour, à acquérir le savoir qui soulage les peines et les maux.

Et il se trouva que la suite de mes études scientifiques, pleinement orientées vers un genre mystique et transcendant, réagit et projeta une vive lumière sur l'idée que je me faisais de cette guerre sempiternelle livrée entre mes éléments constitutifs. De jour en jour, et par les deux côtés de mon intelligence, le moral et l'intellectuel, je me rapprochai donc peu à peu de cette vérité, dont la découverte partielle a entraîné pour moi un si terrible naufrage : à savoir, que l'homme n'est en réalité pas un, mais bien deux. Je dis deux, parce que l'état de mes connaissances propres ne s'étend pas au-delà. D'autres viendront après moi, qui me dépasseront dans cette voie ; et j'ose avancer l'hypothèse que l'on découvrira finalement que l'homme est formé d'une véritable confédération de citoyens multiformes, hétérogènes et indépendants.

Pour ma part, suivant la nature de ma vie, je progressai infailliblement dans une direction, et dans celle-là seule. Ce fut par le côté moral, et sur mon propre individu, que j'appris à discerner l'essentielle et primitive dualité de l'homme ; je vis que, des deux personnalités qui se disputaient le champ de ma conscience, si je pouvais à aussi juste titre passer pour l'un ou l'autre, cela venait de ce que j'étais foncièrement toutes les deux ; et à partir d'une date reculée, bien avant que la suite de mes investigations scientifiques m'eût fait même entrevoir la plus lointaine possibilité de pareil miracle, j'avais appris à caresser amoureusement, tel un beau rêve, le projet de séparer ces éléments constitutifs. Il suffirait, me disais-je, de pouvoir caser chacun d'eux dans une individualité distincte, pour alléger la vie de tout ce qu'elle a d'insupportable : l'injuste alors suivrait sa voie, libéré des aspirations et des remords de son jumeau supérieur ; et le juste s'avancerait d'un pas ferme et assuré sur son chemin sublime, accomplissant les bonnes actions dans lesquelles il trouve son plaisir, sans plus se voir exposé au déshonneur et au repentir causés par ce mal étranger. C'est pour le châtiment de l'humanité que cet incohérent faisceau a été réuni de la sorte — que dans le sein déchiré de la conscience [25], ces jumeaux antipodiques sont ainsi en lutte continuelle. N'y aurait-il pas un moyen de les dissocier ?

J'en étais là de mes réflexions lorsque, comme je l'ai dit, un rayon inattendu jailli de mes expériences de laboratoire vint peu à peu illuminer la question. Je commençai à percevoir, plus vivement qu'on ne l'a jamais fait, l'instable immatérialité, la fugacité nébuleuse, de ce corps en apparence si solide dont nous sommes revêtus. Je découvris que certains agents ont le pouvoir d'attaquer cette enveloppe de chair et de l'arracher ainsi que le vent relève les pans d'une tente. Mais je ne pousserai pas plus loin cette partie scientifique de ma confession, pour deux bonnes raisons. D'abord, parce que j'ai appris à mes dépens que le calamiteux fardeau de notre vie est pour toujours attaché sur nos épaules, et qu'à chaque tentative que l'on fait pour le rejeter, il n'en retombe sur nous qu'avec un poids plus insolite et plus redoutable. En second lieu, parce que, ainsi que mon récit le rendra, hélas ! trop évident, ma découverte fut incomplète. Je me bornerai donc à dire qu'après avoir reconnu dans mon corps naturel la simple auréole et comme l'émanation de certaines des forces qui constituent mon esprit, je réussis à composer un produit grâce auquel ces forces pouvaient être dépouillées de leur suprématie, pour faire place à une seconde forme apparente, non moins représentative de mon moi, puisque étant l'expression et portant la marque d'éléments inférieurs de mon âme.

J'hésitai longtemps avant de mettre cette théorie à l'épreuve de l'expérience. Je savais trop que je risquais la mort ; car, avec un produit assez puissamment efficace pour forcer et dominer la citadelle intime de l'individualité, il pouvait suffire du moindre excès dans la dose ou de la moindre intempestivité dans son application, pour qu'elle abolît totalement ce tabernacle immatériel que je comptais lui voir modifier. Mais l'attrait d'une découverte aussi singulière et aussi grosse de conséquences surmonta finalement les objections de la crainte. Depuis longtemps ma teinture était prête ; il ne me resta donc plus qu'à me procurer, dans une maison de droguerie en gros, une forte quantité d'un certain sel que je savais être, de par mes expériences, le dernier ingrédient nécessaire ; et enfin, par une nuit maudite, je combinai les éléments, les regardai bouillonner et fumer dans le verre, tandis qu'ils réagissaient l'un sur l'autre, et lorsque l'ébullition se fut calmée, rassemblant toute mon énergie, j'absorbai le breuvage.

J'éprouvai les tourments les plus affreux : un broiement dans les os, une nausée mortelle, et une agonie de l'âme qui ne peut être surpassée à l'heure de la naissance ou à celle de la mort. Puis, rapidement, ces tortures déclinèrent, et je revins à moi comme au sortir d'une grave maladie. Il y avait dans mes sensations un je ne sais quoi d'étrange, d'indiciblement neuf, et aussi, grâce à cette nouveauté même, d'incroyablement exquis. Je me sentais plus jeune, plus léger, plus heureux de corps ; c'était en moi un effrénement capiteux, un flot désordonné d'images sensuelles traversant mon imagination comme un ru de moulin, un détachement des obligations du devoir, une liberté de l'âme inconnue mais non pas innocente. Je me sentis, dès le premier souffle de ma vie nouvelle, plus méchant, dix fois plus méchant, livré en esclavage à mes mauvais instincts originels ; et cette idée, sur le moment, m'excita et me délecta comme un vin. Je m'étirai les bras, charmé par l'inédit de mes sensations ; et, dans ce geste, je m'aperçus tout à coup que ma stature avait diminué.

Il n'existait pas de miroir, à l'époque, dans ma chambre ; celui qui se trouve à côté de moi, tandis que j'écris ceci, y fut installé beaucoup plus tard et en vue même de ces métamorphoses. La nuit, cependant, était fort avancée... le matin, en dépit de sa noirceur, allait donner bientôt naissance au jour... les habitants de ma demeure étaient ensevelis dans le plus profond sommeil, et je résolus, tout gonflé d'espoir et de triomphe, de m'aventurer sous ma nouvelle forme à parcourir la distance qui me séparait de ma chambre à coucher. Je traversai la cour, où du haut du ciel les constellations me regardaient sans doute avec étonnement, moi la première créature de ce genre que leur eût encore montrée leur vigilance éternelle ; je me glissai au long des corridors, étranger dans ma propre demeure ; et, arrivé dans ma chambre, je me vis pour la première fois en présence d'Edward Hyde.

Je ne puis parler ici que par conjecture, disant non plus ce que je sais, mais ce que je crois être le plus probable. Le mauvais côté de ma nature, auquel j'avais à cette heure donné forme, était moins robuste et moins développé que le bon récemment rejeté. De plus, dans le cours de ma vie, qui avait été, somme toute, pour les neuf dixièmes une vie de labeur et de contrainte, il avait été soumis à beaucoup moins d'efforts et de fatigues. Telle est, je pense, la raison pourquoi Edward Hyde était tellement plus petit, plus mince et plus jeune que Henry Jekyll. Tout comme le bien se reflétait sur la physionomie de l'un, le mal s'inscrivait en toutes lettres sur les traits de l'autre. Le mal, en outre (où je persiste à voir le côté mortel de l'homme), avant mis sur ce corps une empreinte de difformité et de déchéance. Et pourtant, lorsque cette laide effigie m'apparut dans le miroir, j'éprouvai non pas de la répulsion, mais bien plutôt un élan de sympathie. Celui-là aussi était moi. Il me semblait naturel et humain. A mes yeux, il offrait une incarnation plus intense de l'esprit, il se montrait plus intégral et plus un que l'imparfaite et composite apparence que j'avais

jusque-là qualifiée mienne. Et en cela, j'avais indubi-
tablement raison. J'ai observé que, lorsque je revêtais
la figure de Hyde, personne ne pouvait s'approcher de
moi sans ressentir tout d'abord une véritable horripila-
tion de la chair. Ceci provenait, je suppose, de ce que
tous les êtres humains que nous rencontrons sont
composés d'un mélange de bien et de mal ; or Edward
Hyde, seul parmi les rangs de l'humanité, était fait
exclusivement de mal.

Je ne m'attardai qu'une minute devant la glace :
j'avais encore à tenter la seconde expérience, qui serait
décisive ; il me restait à voir si j'avais perdu mon
individualité sans rémission et s'il me faudrait avant le
jour fuir d'une maison qui n'était désormais plus la
mienne. Regagnant en hâte mon cabinet, je préparai
de nouveau et absorbai le breuvage, souffris une fois
de plus les tourments de l'agonie, et revins à moi une
fois de plus avec la mentalité et les traits de Henry
Jekyll.

J'étais arrivé, cette nuit-là, au fatal carrefour. Eussai-je envisagé ma découverte dans un esprit plus
relevé, eussai-je risqué l'expérience sous l'empire de
sentiments nobles et généreux, tout se serait passé
autrement, et, de ces agonies de mort et de renais-
sance, je serais sorti ange et non point démon.

La drogue n'avait pas d'action sélective ; elle n'était
ni diabolique ni divine ; elle ne faisait que forcer les
portes de la prison constituée par ma disposition psychologique, et, à l'instar des captifs de Philippes [26],
ceux-là qui étaient dedans s'évadaient. A cette
époque, ma vertu somnolait ; mon vice, tenu en éveil
par l'ambition, fut alerté et prompt à saisir l'occasion ;
et l'être qui s'extériorisa fut Edward Hyde. En conséquence, tout en ayant désormais deux personnalités
aussi bien que deux figures, l'une était entièrement
mauvaise, tandis que l'autre demeurait le vieil Henry
Jekyll, ce composé hétérogène que je désespérais
depuis longtemps d'amender ou de perfectionner.
L'avance acquise conduisait donc droit au pire.

Même à cette époque, je n'avais pas encore entièrement surmonté l'aversion que m'inspirait l'aridité d'une vie d'étude. J'étais encore parfois disposé à m'amuser ; et comme mes plaisirs étaient (pour ne pas dire plus) peu relevés, et que, non seulement j'étais bien connu et fort considéré, mais que je commençais à prendre de l'âge, cette incompatibilité de ma vie me pesait chaque jour un peu plus. Ce fut donc par là que ma nouvelle faculté me séduisit et que je tombai enfin dans l'esclavage. Ne me suffisait-il pas de boire la mixture, pour dépouiller aussitôt le corps du professeur en renom, et pour revêtir, tel un épais manteau, celui d'Edward Hyde ? Cette idée me fit sourire, je la trouvais alors amusante ; et je pris mes dispositions avec le soin le plus méticuleux. Je louai et meublai cette maison de Soho, où Hyde a été pisté par la police, et engageai comme gouvernante une créature que je savais muette et sans scrupule. D'autre part, j'annonçai à mes domestiques qu'un certain M. Hyde (que je leur décrivis) devait avoir toute liberté et tout pouvoir dans mon domicile donnant sur la place ; et pour les familiariser avec elle, en vue de parer aux mésaventures, je me rendis visite sous ma seconde incarnation. Je rédigeai ensuite ce testament qui vous scandalisa si fort ; de façon que s'il m'arrivait quelque chose en la personne du Dr Jekyll, je pouvais passer à celle de Hyde sans perte financière. Ainsi prémuni, à ce que j'imaginai, de tous côtés, je commençai de mettre à profit les singuliers privilèges de ma situation.

Des hommes, jadis, prenaient à gages des spadassins pour exécuter leurs crimes, tandis que leur propre personne et leur réputation demeuraient à l'abri. Je fus le tout premier qui en agit de la sorte pour ses plaisirs. Je fus le premier à pouvoir ainsi affronter les regards du public sous un revêtement d'indiscutable honorabilité, pour, la minute d'après, tel un écolier, rejeter ces oripeaux d'emprunt et me plonger à corps perdu dans l'océan de la liberté. Mais pour moi, sous mon impénétrable déguisement, la sécurité était complète. Songez-y : je n'existais même pas ! Qu'on me laissât seulement franchir la porte de mon laboratoire, qu'on me donnât quelques secondes pour préparer et avaler le breuvage que je tenais toujours prêt ; et quoiqu'il eût fait, Edward Hyde s'évanouissait comme la buée de l'haleine sur un miroir ; et là à sa place, tranquille et bien chez lui, studieusement penché sous la lampe nocturne, en homme que les soupçons ne peuvent effleurer, l'on ne trouvait plus que Henry Jekyll.

Les plaisirs que je m'empressai de rechercher sous mon déguisement étaient, comme je l'ai dit, peu relevés, pour n'user point d'un terme plus sévère. Mais entre les mains d'Edward Hyde, ils ne tardèrent pas à tourner au monstrueux. En revenant de ces expéditions, j'étais souvent plongé dans une sorte de stupeur, à me voir si dépravé par procuration. Ce démon familier que j'évoquais hors de ma propre âme et que j'envoyais seul pour en faire à son bon plaisir, était un être d'une malignité et d'une vilenie foncières ; toutes ses actions comme toutes ses pensées se concentraient sur lui-même ; impitoyable comme un homme de pierre, il savourait avec une bestiale avidité le plaisir d'infliger à autrui le maximum de souffrances. Henry Jekyll restait parfois atterré devant les actes d'Edward Hyde ; mais la situation, en échappant aux lois ordinaires, relâchait insidieusement l'emprise de sa conscience. C'était Hyde, après tout, le coupable, et lui seul. Jekyll n'en était pas pire ; il trouvait à son réveil ses bonnes qualités en apparence intactes ; il s'empressait même, dans la mesure du possible, de défaire le mal que Hyde avait fait. Et ainsi s'endormait sa conscience.

Mon dessein n'est pas d'entrer dans le détail des ignominies dont je devins alors le complice (car même à cette heure je ne puis guère admettre que je les commis). Je ne veux qu'indiquer ici les avertissements et les étapes successives qui marquèrent l'approche de mon châtiment. Ce fut d'abord une petite aventure sans conséquences et que je me bornerai à mentionner. Un acte de cruauté envers une fillette attira sur moi la colère d'un passant, que je reconnus l'autre jour en la personne de votre cousin ; le docteur et les parents de l'enfant se joignirent à lui ; il y eut des minutes où je craignis pour ma vie ; et à la fin, en vue d'apaiser leur trop juste ressentiment, Edward Hyde fut contraint de les emmener jusqu'à la porte de Henry Jekyll et de leur remettre en paiement un chèque tiré au nom de ce dernier. Mais ce danger fut aisément écarté pour l'avenir, en ouvrant un compte dans une autre banque, au nom d'Edward Hyde lui-même ; et lorsque, en redressant ma propre écriture, j'eus pourvu mon double d'une signature, je crus m'être placé au-delà des atteintes du sort.

Environ deux mois avant l'assassinat de sir Danvers, étant sorti pour courir à mes aventures, je rentrai à une heure tardive, et m'éveillai le lendemain dans mon lit avec des sensations quelque peu insolites. Ce fut en vain que je regardai autour de moi ; en vain que je vis le mobilier sobre, et les vastes proportions de ma chambre sur la place ; en vain que je reconnus et le profil de mon bois de lit en acajou et le dessin des rideaux ; quelque chose ne cessait de m'affirmer que je n'étais pas là où je me croyais, mais bien dans la petite chambre de Soho où j'avais accoutumé de dormir dans la peau d'Edward Hyde. Je me raillai moi-même, et en bon psychologue, me mis indolemment à rechercher les causes de cette illusion, tout en me laissant aller par instants à l'agréable somnolence matinale. J'étais occupé de la sorte, quand, dans un intervalle de lucidité plus complète, mon regard tomba sur ma main. Or (comme vous l'avez souvent remarqué), la main de Henry Jekyll, toute professionnelle de forme et de taille, était grande, ferme, blanche et lisse. La main que je vis alors, sans méprise possible, dans la lumière jaune et tardive d'un matin londonien, cette main reposant à demi fermée sur les draps du lit, était au contraire maigre, noueuse, à veines saillantes, d'une pâleur terreuse et revêtue d'une épaisse pilosité. C'était la main d'Edward Hyde.

Abasourdi, stupide d'étonnement, je la considérai pendant une bonne demi-minute, avant que la terreur ne s'éveillât dans mon sein, aussi brusque et saisis-

sante qu'un fracas de cymbales. M'élançant hors du
lit, je courus au miroir. Au spectacle qui frappa mes
regards, mon sang se changea en un fluide infiniment
glacial et raréfié. Oui, je m'étais mis au lit Henry Jekyll,
et je me réveillais Edward Hyde. Comment expliquer
cela, me demandais-je ; et puis, avec un autre tressaut
d'effroi : — comment y remédier ? La matinée était
fort avancée, les domestiques levés ; toutes mes
drogues se trouvaient dans le cabinet, et à la perspec-
tive du long trajet : deux étages à descendre, le corridor de derrière à parcourir, la cour à traverser à
découvert, puis l'amphithéâtre d'anatomie, je reculais
épouvanté. Il y avait bien le moyen de me cacher le
visage ; mais à quoi bon, si j'étais incapable de dissi-
muler l'altération de ma stature ? Et alors avec un
soulagement d'une douceur infinie, je me rappelai que
les domestiques étaient déjà accoutumés aux allées et
venues de mon second moi. J'eus tôt fait de me vêtir,
tant bien que mal, avec des habits de ma taille à moi ;
de traverser la maison, où Bradshaw ouvrit de grands
yeux et se recula en voyant passer M. Hyde à pareille
heure et en un si bizarre accoutrement. Dix minutes
plus tard, le Dr Jekyll avait retrouvé sa forme propre et
se mettait à table, la mine soucieuse, pour faire un
simulacre de déjeuner.

L'appétit me manquait totalement. Cette inexpli-
cable aventure, cette subversion de mon expérience
antérieure, semblaient, tel le doigt mystérieux sur le
mur de Babylone[27], tracer l'arrêt de ma condamna-
tion. Je me mis à réfléchir plus sérieusement que je ne
l'avais encore fait aux conséquences possibles de ma
double vie. Cette partie de moi-même que j'avais le
pouvoir de projeter au-dehors, avait en ces temps
derniers pris beaucoup d'exercice et de nourriture ; il
me semblait depuis peu que le corps d'Edward Hyde
augmentait de taille et que j'éprouvais, sous cette
forme, un afflux de sang plus généreux. Le péril
m'apparut : si cette situation se prolongeait, je risquais
fort de voir l'équilibre de ma nature détruit de façon
durable ; et, le pouvoir de transformation volontaire

aboli, la personnalité d'Edward Hyde remplacerait la mienne, irrévocablement. L'action de la drogue ne se montrait pas toujours également efficace. Une fois, dans les débuts de ma carrière, elle avait totalement trompé mon attente ; depuis lors je m'étais vu contraint en plus d'une occasion de doubler, et une fois même, avec un risque de mort infini, de tripler la dose ; et ces rares incertitudes avaient seules jusqu'alors jeté une ombre sur mon bonheur. Mais ce jour-là, et à la lumière de l'accident du matin, je fus amené à découvrir que, tandis qu'au début la difficulté consistait à dépouiller le corps de Jekyll, elle s'était depuis peu, par degrés mais de façon indiscutable, reportée de l'autre côté. Tout donc semblait tendre à cette conclusion : savoir, que je perdais peu à peu la maîtrise de mon moi originel et supérieur, pour m'identifier de plus en plus avec mon moi second et inférieur.

Entre les deux, je le compris alors, il me fallait opter. Mes deux natures possédaient en commun la mémoire, mais toutes leurs autres facultés étaient fort inégalement réparties entre elles. Jekyll (cet être composite [28]) éprouvait tantôt les craintes les plus légitimes, tantôt une alacrité avide de s'extérioriser dans les plaisirs et les aventures de Hyde et d'en prendre sa part : Hyde au contraire n'avait pour Jekyll que de l'indifférence, ou bien il se souvenait de lui uniquement comme le bandit des montagnes se rappelle la caverne où il se met à l'abri des poursuites. L'affection de Jekyll était plus que paternelle ; l'indifférence de Hyde plus que filiale. Remettre mon sort à Jekyll, c'était mourir à ces convoitises que j'avais toujours caressées en secret et que j'avais depuis peu laissées se développer. Le confier à Hyde, c'était mourir à mille intérêts et aspirations, et devenir d'un seul coup et à jamais, un homme méprisé et sans amis. Le marché pouvait sembler inégal ; mais une autre considération pesait dans la balance : tandis que Jekyll ressentirait cruellement les feux de l'abstinence, Hyde ne s'apercevrait même pas de tout ce qu'il aurait perdu. En dépit de l'étrangeté de ma situation, les termes de ce dilemme sont aussi vieux et aussi banals que l'humanité : ce sont des tentations et des craintes du même genre qui décident du sort de tout pécheur aux prises avec la tentation ; et il advint de moi, comme il advient de la plus grande majorité de mes frères humains, que je choisis le meilleur rôle mais que je manquai finalement d'énergie pour y persévérer.

Oui, je préférai être le docteur vieillissant et insatisfait, entouré d'amis et nourrissant d'honnêtes espérances ; et je dis un adieu définitif à la liberté, à la relative jeunesse, à la démarche légère, au sang ardent et aux plaisirs défendus, que j'avais goûtés sous le déguisement de Hyde. Ce choix n'allait peut-être pas sans une réserve tacite, car pas plus que je ne renonçai à la maison de Soho, je ne détruisis les vêtements d'Edward Hyde, qui restaient toujours prêts dans mon cabinet. Durant deux mois cependant, je restai fidèle à ma résolution ; durant deux mois l'austérité de ma vie dépassa tout ce que j'avais réalisé jusque-là, et je goûtai les joies d'une conscience satisfaite. Mais le temps vint peu à peu amortir la vivacité de mes craintes ; les éloges reçus de ma conscience m'apparurent bientôt comme allant de soi ; je commençai à être tourmenté d'affres et d'ardeurs, comme si Hyde s'efforçait de reconquérir la liberté ; si bien qu'à la fin, en une heure de défaillance morale, je préparai et absorbai de nouveau le breuvage transformateur.

Je ne pense pas, lorsqu'un ivrogne s'entretient de son vice avec lui-même, qu'il soit affecté une fois sur cinq cents par les dangers auxquels l'expose sa bestiale insensibilité physique. Moi non plus, de tout le temps que j'avais réfléchi à ma situation, je n'avais guère tenu compte de l'entière insensibilité morale et de l'insensée propension au mal qui étaient les caractères dominants d'Edward Hyde. Ce fut pourtant de là que me vint le châtiment. Mon démon intime avait été longtemps prisonnier, il s'échappa rugissant. Je ressentis, à peine le breuvage absorbé, une propension au mal plus débridée, plus furieuse.

C'est à ce fait que j'attribue l'éveil en mon âme de la tempête d'impatience avec laquelle j'écoutai les politesses de mon infortunée victime ; je déclare du moins devant Dieu, qu'aucun homme moralement sain n'eût pu se rendre coupable de ce crime sous un prétexte aussi pitoyable ; et je frappai avec aussi peu de raison que n'en a un enfant en colère de briser son jouet. Mais je m'étais débarrassé volontairement de tous ces instincts de retenue grâce auxquels même les pires d'entre nous persistent à marcher avec une certaine fermeté parmi les tentations ; et dans mon cas, être tenté, même légèrement, c'était succomber.

A l'instant même, l'esprit de l'enfer s'éveilla en moi et fit rage. Chaque coup asséné m'était un délice, et je malmenai le corps inerte avec des transports d'allégresse.

Ce délirant paroxysme n'avait pas cessé, et la fatigue commençait déjà de m'envahir, lorsque soudain un frisson d'épouvante me transfixa le cœur. Un brouillard se dissipa, me montrant ma vie perdue, et à la fois exultant et tremblant, avec mon goût du mal réjoui et stimulé, et mon amour de la vie porté au suprême degré, je m'enfuis loin du théâtre de mes excès.

Je courus à la maison de Soho, et, pour plus de sûreté, détruisis mes papiers ; après quoi je ressortis parmi les rues éclairées, dans la même exaltation complexe, me délectant au souvenir de mon crime, et dans mon délire en projetant d'autres pour l'avenir, sans cesser toutefois d'être talonné d'inquiétude et de guetter derrière moi l'approche d'un vengeur. En préparant le breuvage, Hyde avait une chanson aux lèvres, et il but à la santé du défunt. Les tortures de la métamorphose avaient à peine cessé de le déchirer que Henry Jekyll, avec des larmes de reconnaissance et de repentir, tombait à genoux et tendait vers le ciel des mains suppliantes. Le voile de l'égoïsme se fendit du haut en bas, et ma vie m'apparut dans son ensemble : à plusieurs reprises je la récapitulai depuis les jours de mon enfance, alors que je marchais la main dans la

main de mon père, et repassant les efforts d'abnéga-
tion de mon existence professionnelle, j'arrivais
chaque fois, sans pouvoir me résoudre à y croire, aux
maudites abominations de la soirée. J'en hurlais
presque ; je m'évertuais avec des larmes et des prières
à écarter la foule d'images hideuses dont me harcelait
ma mémoire ; mais toujours, entre mes supplications,
l'horrible face de mon iniquité me regardait jusqu'au
fond de l'âme. Enfin l'acuité de ce remords s'atténua
peu à peu, et fit place à une sensation de joie. Le
problème de ma conduite était résolu.

Désormais il ne pouvait plus être question de
Hyde : et bon gré mal gré je m'en voyais réduit à la
meilleure part de mon être. Oh ! combien je me réjouis
à cette idée ! avec quelle humilité volontaire j'embras-
sai à nouveau les contraintes de la vie normale ! avec
quel sincère renoncement je fermai la porte par
laquelle j'étais si souvent sorti et rentré, et en écrasai la
clef sous mon talon !

Le lendemain, j'appris la nouvelle que le meurtrier
avait été reconnu ; que le monde entier savait Hyde
coupable, et que sa victime était un homme haut placé
dans la considération publique. Je crois bien que je fus
heureux de l'apprendre, heureux de voir mes bonnes
résolutions ainsi fortifiées et gardées par la crainte de
l'échafaud. Jekyll était maintenant mon unique refuge :
que Hyde se fît voir un seul instant, et tous les bras se
lèveraient pour s'emparer de lui et le mettre en pièces.

Je résolus de racheter le passé par ma conduite
future ; et je puis dire en toute sincérité que ma résolution produisit de bons fruits. Vous savez vous-même
avec quelle ardeur je travaillai, durant les derniers
mois de l'année passée, à soulager les misères ; vous
savez que je fis beaucoup pour mon prochain ; et que
mes jours s'écoulèrent tranquilles et même heureux.

Car je ne puis vraiment dire que cette vie de bienfaits et d'innocence me pesât. Je la goûtais au contraire
chaque jour davantage ; mais je restais sous la malé-
diction de ma dualité ; et lorsque le premier feu de
mon repentir s'atténua, le côté inférieur de mon moi,

si longtemps choyé, si récemment enchaîné, se mit à réclamer sa liberté. Ce n'était pas que je songeasse à ressusciter Hyde ; cette seule idée m'affolait ; non, c'était dans ma propre personne que j'étais une fois de plus tenté de biaiser avec ma conscience ; et ce fut en secret, comme un vulgaire pécheur, que je finis par succomber aux assauts de la tentation.

Il y a un terme à toutes choses : la mesure la plus spacieuse déborde à la fin ; et cette brève concession à mes instincts pervers détruisit finalement l'équilibre de mon âme. Pourtant, je n'en fus pas alarmé : la chute me semblait naturelle, comme un retour aux temps anciens qui précédèrent ma découverte. C'était par une belle journée limpide de janvier, le sol restait humide aux endroits où le verglas avait fondu, mais on ne voyait pas un nuage au ciel ; Regent's Park s'emplissait de gazouillements et il flottait dans l'air une odeur de printemps. Je m'installai au soleil sur un banc ; l'animal en moi léchait des bribes de souvenirs ; le côté spirituel somnolait à demi, se promettant une réforme ultérieure, mais sans désir de l'entreprendre. Après tout, me disais-je, je suis comme mes voisins ; et je souriais, en me comparant aux autres, en comparant ma bonne volonté agissante avec leur lâche et vile inertie. Et à l'instant même de cette pensée vaniteuse, il me prit un malaise, une horrible nausée accompagnée du plus mortel frisson. Ces symptômes disparurent, me laissant affaibli ; et puis, à son tour, cette faiblesse s'atténua. Je commençai à percevoir un changement dans le ton de mes pensées, une plus grande hardiesse, un mépris du danger, une délivrance des obligations du devoir. J'abaissai les yeux ; mes vêtements pendaient informes sur mes membres rabougris, la main qui reposait sur mon genou était noueuse et velue. J'étais une fois de plus Edward Hyde. Une minute plus tôt, l'objet de la considération générale, je me voyais riche, aimé, la table mise m'attendait dans ma salle à manger ; et maintenant je n'étais plus qu'un vil gibier humain, pourchassé, sans gîte, un assassin notoire, voué au gibet.

Ma raison vacilla, mais sans m'abandonner entièrement. J'ai plus d'une fois observé que, sous ma
seconde incarnation, mes facultés semblaient aiguisées
à un degré supérieur, et mes énergies plus tendues et
plus souples. Il en résulta que là où Jekyll aurait peut-
être succombé, Hyde s'éleva à la hauteur des circonstances. Mes drogues se trouvaient sur l'une des
étagères de mon cabinet : comment faire pour me les
procurer ? Tel était le problème que, me pressant le
front à deux mains, je m'efforçai de résoudre. La
porte du laboratoire, je l'avais fermée. Si je cherchais à
y entrer par la maison, mes propres serviteurs
m'enverraient à la potence. Je vis qu'il me fallait user
d'un intermédiaire, et songeai à Lanyon. Comment le
prévenir ? comment le persuader ? En admettant que
je ne me fisse pas prendre dans la rue, comment
arriver jusqu'à lui ? et comment réussir, moi visiteur
inconnu et déplaisant, à persuader l'illustre médecin
de cambrioler le sanctuaire de son collègue, le
Dr Jekyll ? Je me souvins alors que, de ma personnalité
originale, quelque chose me restait : je possédais
encore mon écriture. Dès que j'eus conçu cette étin-
celle initiale, la voie que je devais suivre s'illumina de
bout en bout.

En conséquence, j'ajustai mes habits du mieux que
je pus, et arrêtant un cab qui passait, me fis conduire à
un hôtel de Portland Street, dont par hasard je me
rappelais le nom. A mon aspect (qui était en effet
grotesque, malgré la tragique destinée que recou-
vraient ces dehors), le cocher ne put contenir son
hilarité. Dans une bouffée de rage démoniaque, je me
rapprochai en grinçant des dents, et le sourire se figea
sur ses traits... heureusement pour lui... et non moins
heureusement pour moi-même, car un instant de plus
et je le tirais à bas de son siège. A l'hôtel, dès mon
entrée je jetai autour de moi des regards si farouches
que le personnel en frémit ; et sans oser même échanger un clin d'œil en ma présence, on prit mes ordres
avec obséquiosité, et me conduisant à un salon particulier, on m'y apporta aussitôt de quoi écrire. Hyde en

péril de mort était un être nouveau pour moi : agité d'une colère désordonnée, il n'eût reculé devant aucun crime, et n'aspirait qu'à infliger de la douleur. Mais la créature était non moins astucieuse : d'un grand effort de volonté, elle maîtrisa sa rage, composa ses deux importantes missives, l'une pour Lanyon et l'autre pour Poole ; et afin d'obtenir la preuve matérielle de leur expédition, donna l'ordre de les faire recommander.

Après quoi, Hyde resta toute la journée assis devant le feu, à se ronger les ongles, dans le salon particulier ; il y dîna seul avec ses craintes, servi par le garçon qui tremblait visiblement sous son regard ; et lorsque la nuit fut tout à fait tombée, il partit de là, tassé dans le fond d'un cab fermé, et se fit conduire ici et là par les rues de la ville. Il, dis-je, et non pas : je. Ce fils de l'enfer n'avait plus rien d'humain ; rien ne vivait en lui que la peur et la haine. A la fin, s'imaginant que le cocher concevait peut-être des soupçons, il renvoya le cab et s'aventura à pied, affublé de ses habits incongrus qui le désignaient à la curiosité, au milieu de la foule nocturne, tandis que ces deux viles passions faisaient en lui comme une tempête. Il marchait vite, fouaillé par ses craintes, parlant tout seul, cherchant les voies les moins fréquentées, comptant les minutes qui le séparaient encore de minuit. A un moment donné, une femme l'aborda, lui offrant, je crois, des boîtes d'allumettes. Il la frappa au visage, et elle prit la fuite.

Lorsque je revins à moi chez Lanyon, l'horreur que j'inspirais à mon vieil ami m'affecta un peu : je ne sais ; en tout cas ce ne fut qu'une goutte d'eau dans la mer, à côté de la répulsion avec laquelle je me remémorais ces heures. Un changement s'était produit en moi. C'était non plus la crainte du gibet, mais bien l'horreur d'être Hyde qui me déchirait. Je reçus comme dans un songe les malédictions de Lanyon ; comme dans un songe, je regagnai ma demeure et me mis au lit. Je dormis, après cette accablante journée, d'un sommeil dense et poignant que ne réussissaient point à interrompre les cauchemars qui me tordaient. Je m'éveillai le matin, brisé, affaibli, mais apaisé. Je ne cessais pas de haïr et de craindre la pensée de la bête assoupie en moi ; mais j'étais une fois de plus chez moi, dans ma propre demeure et à portée de mes drogues ; et ma reconnaissance à l'égard de mon salut brillait dans mon âme d'un éclat rivalisant presque avec celui de l'espérance.

Je me promenais à petits pas dans la cour après le déjeuner, humant avec délices la froidure de l'air, quand je fus envahi à nouveau par ces indescriptibles symptômes annonciateurs de la métamorphose ; et je n'eus que le temps de regagner l'abri de mon cabinet, avant d'être à nouveau en proie aux rages et aux passions délirantes de Hyde. Il me fallut en cette occasion doubler la dose pour me rappeler à moi-même. Hélas ! six heures plus tard, comme j'étais assis à regarder tristement le feu, les douleurs me reprirent, et je dus une fois encore avoir recours à la drogue. Bref, à partir de ce jour, ce ne fut plus que par une sorte de gymnastique épuisante, et sous l'influence immédiate de la drogue, que je me trouvai capable de revêtir la forme de Jekyll. A toute heure du jour et de la nuit, j'étais envahi du frisson prémonitoire ; il me suffisait principalement de m'endormir, ou même de somnoler quelques minutes dans mon fauteuil pour m'éveiller immanquablement sous la forme de Hyde.

La menace continuelle de cette calamité imminente et les privations de sommeil que je m'imposai alors, et où j'atteignis les extrêmes limites de la résistance humaine, eurent bientôt fait de moi, en ma personne réelle, un être rongé et épuisé par la fièvre, déplorablement affaibli de corps aussi bien que d'esprit, et possédé par une unique pensée : l'horreur de mon autre moi. Mais lorsque je m'endormais, ou lorsque la vertu du remède s'épuisait, je tombais quasi sans transition (car les tourments de la métamorphose devenaient chaque jour moins marqués) à la merci d'une imagination débordant d'images terrifiantes, d'une âme bouillonnant de haines irraisonnées, et d'un corps qui me semblait trop faible pour résister à une telle dépense de frénétiques énergies. Les facultés de Hyde semblaient s'accroître de tout ce que perdait Jekyll. Du moins la haine qui les divisait était alors égale de part et d'autre. Chez Jekyll, c'était une question de défense vitale. Il connaissait désormais la pleine difformité de cette créature qui partageait avec lui quelques-uns des phénomènes de la conscience, et qui serait sa cohéritière à une même mort ; et, en sus de ces liens de communauté, où résidait la part la plus poignante de sa détresse, il voyait en Hyde, malgré toute sa puissante vitalité, un être non seulement infernal mais inorganique.

C'était là le plus révoltant : que le limon de l'abîme en vînt à s'exprimer par le cri et par le verbe ; que l'amorphe poussière gesticulât et péchât ; que ce qui était inerte et n'avait pas de forme pût usurper les fonctions de la vie. Et ceci encore : que cette larve monstrueuse fût associée à lui plus intimement qu'une épouse, plus intimement que la prunelle de ses yeux, qu'elle fût emprisonnée dans sa chair, où il l'entendait murmurer, où il la sentait s'efforcer vers la liberté ; qu'à chaque heure de faiblesse, et dans l'abandon du sommeil, elle prévalût contre lui et le dépossédât de son être. La haine de Hyde envers Jekyll était d'un ordre différent. Sa terreur du gibet le poussait naturellement à commettre un suicide provisoire et à reprendre sa situation subordonnée de partie au lieu d'individu ; mais il abhorrait cette nécessité, il abhorrait la mélancolie où s'enfonçait de plus en plus Jekyll, et il lui en voulait du dégoût avec lequel ce dernier le considérait. De là provenaient les mauvais tours qu'il me jouait sans cesse, griffonnant de ma propre écriture des blasphèmes en marge de mes livres, brûlant les lettres et déchirant le portrait de mon père ; et certes, n'eût été sa crainte de la mort, il se fût depuis longtemps détruit afin de m'entraîner dans sa perte. Mais il a pour la vie un amour prodigieux ; je vais plus loin : moi que sa seule idée glace et rend malade, lorsque je songe à la bassesse et à la fureur de cet attachement, et lorsque je considère à quel point il redoute mon pouvoir de l'en priver par le suicide, je trouve en moi de quoi le plaindre.

Il serait vain de prolonger cette analyse, et le temps ne m'est, hélas ! que trop mesuré ; il suffit de savoir que personne n'a jamais souffert semblables tourments ; et malgré tout, à ceux-ci l'habitude apporta, non pas une atténuation, mais un certain endurcissement de l'âme, une sorte d'acceptation désespérée ; et mon châtiment aurait pu se prolonger des années, sans la dernière calamité qui me frappe aujourd'hui, et qui va me séparer définitivement de ma propre apparence et de mon individualité. Ma provision du fameux sel, non renouvelée depuis le jour de ma première expérience, touchait à sa fin. J'en fis venir une nouvelle commande, et préparai le breuvage. L'ébullition se produisit, comme le premier changement de couleur, mais non point le second : je l'absorbai sans aucun résultat. Vous apprendrez de Poole comment je lui ai fait courir tout Londres en vain ; je reste aujourd'hui persuadé que mon premier achat était impur, et que cette impureté ignorée donnait son efficacité au breuvage.

Près d'une semaine a passé depuis lors, et voici que j'achève cette relation sous l'influence de la dernière dose de l'ancien produit. Voici donc, à moins d'un miracle, la dernière fois que Henry Jekyll peut penser ses propres pensées ou voir dans le miroir son propre visage (combien lamentablement altéré !). Du reste, il ne faut pas que je tarde trop longtemps à cesser d'écrire. Si mon présent récit a jusqu'à cette heure évité d'être anéanti, c'est grâce à beaucoup de précautions alliées à non moins d'heureuse chance. Si les affres de la métamorphose venaient à s'emparer de moi tandis que j'écris, Hyde mettrait ce cahier en morceaux ; mais s'il s'est écoulé un peu de temps depuis que je l'ai rangé, son égoïsme prodigieux et son immersion dans la minute présente le sauveront probablement une fois encore des effets de sa rancune simiesque. Et d'ailleurs la fatalité qui va se refermant sur nous deux l'a déjà changé et abattu. Dans une demi-heure d'ici, lorsqu'une fois de plus et à jamais je revêtirai cette personnalité haïe, je sais par avance que je resterai dans mon fauteuil à trembler et à pleurer, ou que je continuerai, dans un démesuré transport de terreur attentive, à arpenter de long en large cette pièce... mon dernier refuge sur la terre... en prêtant l'oreille à tous les bruits menaçants. Hyde mourra-t-il sur l'échafaud ? Ou bien trouvera-t-il au dernier moment le courage de se libérer lui-même ? Dieu le sait ; et peu m'importe : c'est ici l'heure véritable de ma mort, et ce qui va suivre en concerne un autre que moi. Ici donc, en déposant la plume et en m'apprêtant à sceller ma confession, je mets un terme à la vie de cet infortuné Henry Jekyll.

NOTES

1. Anciennement Katharine Stevenson, cousine de l'écrivain et habituée de Skerryvore.

2. Trad. J.-P. Naugrette.

3. Caïnites : au IIe siècle, membres d'une secte qui considérait comme des saints Caïn (meurtrier de son frère Abel, Genèse, 4, 9) et d'autres personnages peu recommandables de la Bible.

4. Sur cet « attrait », voir W. Veeder, cité dans l'Introduction.

5. Dans le texte anglais, *Juggernaut*, ou *Jaggernat* en français. Allusion à l'idole de Krishna, huitième avatar de Vishnou. Les fanatiques hindous avaient autrefois coutume de se jeter sous les roues du char qui la portait annuellement en procession. L'ironie de cette référence fait de la fillette une dévote de Hyde, et du monstre une idole.

6. En anglais, *Sawbones* : littéralement, le « scieur d'os », ou le chirurgien qui opère. Le mot apparaît chez Dickens. Voir aussi l'Introduction.

7. Jeu de mots sur *make capital out of*, soit « tirer profit de ». Allusion à l'argent demandé pour étouffer l'affaire.

8. *Queer Street* en anglais : littéralement, « la rue bizarre ». En argot, rue peuplée de gens ayant des difficultés financières. W. Veeder se fonde sur l'ambiguïté de *queer* (= homosexuel) pour y voir une connotation sexuelle. Mais le mot n'apparaît pas dans ce sens avant 1900.

9. Allusion au testament du Dr Jekyll, dont le lecteur prend connaissance au chapitre suivant.

10. Les deux amis modèles de l'Antiquité. « Pythias » devrait être écrit « Phintias ». Peut-être une connotation homosexuelle.

11. Jeu de mots sur *Hide and Seek*, le jeu de cache-cache.

12. *Gaunt Street* : la rue existe bien à Londres, mais le mot *gaunt* est aussi un adjectif signifiant « sévère », « lugubre », et semble renvoyer à la description du notaire au premier chapitre. R.L.S. crée donc une association entre la physionomie de M. Utterson et le nom de la rue où il habite.

13. Allusion aux vers composés par le jeune Tom Brown, qui,

renvoyé du Collège de Christ Church par son directeur, le Dr John Fell, obtint son pardon à condition de traduire la trente-troisième Epigramme de Martial, dont il fit ensuite une parodie qui commençait par : « Je te déteste, Dr Fell, / Sans que je sache pourquoi... »

14. Diminutif familier de « Henry ». *Old Harry* est aussi le surnom du Diable.

15. Expression latine qui signifie « en boitant ». Le Diable est souvent représenté comme boiteux.

16. Echo inversé du titre même du roman.

17. En anglais, *hide-bound* : encore un jeu de mots sur Hyde. Au chapitre IX, Lanyon apparaîtra littéralement *hide-bound*, sous l'emprise (ou le charme) de Hyde. Voir *spellbound*, ensorcelé.

18. Utterson se gardera bien de respecter cette promesse.

19. En anglais, « Murder Case ». Voir l'Introduction.

20. L'adjectif est ici insolite pour un gentleman, et prête à ambiguïté. Voir les interprétations de Charyn et Veeder.

21. Sur le lien entre le motif de la hache et celui du labyrinthe, voir J.-P. Naugrette, *Tropismes*, n° 5, cité dans l'Introduction.

22. Il suffit de comparer avec la date qui figure en tête du chapitre, et les autres fournies au chapitre VI pour s'apercevoir à quel point celle-ci est erronée.

23. R.L.S. utilise le même procédé du cahier énigmatique ou couvert d'inscriptions incompréhensibles au début de *L'Ile au Trésor*, avec les papiers du vieux capitaine (chap. VI).

24. La métamorphose de Jekyll en Hyde est souvent décrite en termes de déguisement, de masque, ou d'habillage de type théâtral, comme le mot « amphithéâtre » (en anglais, *theatre*) tend à le suggérer.

25. En anglais, *agonised womb of consciousness* : remarquons que la naissance de Hyde est décrite par Jekyll comme un véritable accouchement ou enfantement. Voir J.-P. Naugrette, *Robert Louis Stevenson : l'aventure et son double*, « Le moi matriciel », pp. 63-66.

26. Paul et Silas, prisonniers à Philippes (Grèce), virent s'ouvrir les portes de leur prison grâce à un tremblement de terre (Actes des Apôtres, 16). Encore un couple masculin.

27. Allusion au festin de Balthazar dans la Bible (Daniel, 5), au cours duquel une main humaine écrit sur le mur du palais babylonien les mots « Mané, Thécel, Pharès », interprétés par Daniel comme l'annonce de la fin prochaine du royaume. A comparer à l'inscription sur le mur au chapitre III du *Creux de la Vague* (GF, n° 679, 1993).

28. Pour une analyse détaillée de ce « composé » qu'est Jekyll, voir les dessins et les commentaires de Vladimir Nabokov dans son étude du *Cas étrange* : « Dans cette combinaison de bien et de mal qu'est le Dr Jekyll, le mal peut être isolé sous la forme de Hyde, qui est un précipité de mal à l'état pur, un précipité au sens chimique du terme, puisque quelque chose du Jekyll composite reste derrière, pour s'interroger avec horreur sur Hyde, au moment où Hyde est en train d'agir. » (*Littératures I*, Le Livre de Poche, Biblio Essais, pp. 260-262). Ceci explique par exemple que la lettre adressée par Hyde à Lanyon puisse être signée par Jekyll, qui se souvient encore de son écriture, et surtout des méfaits commis par Hyde.

REPÈRES BIBLIOGRAPHIQUES

Biographies

J.-M. Carré, *La Vie de R.L. Stevenson*. Paris, Gallimard, 1929.

J.C. Furnas, *Voyage to Windward : the life of Robert Louis Stevenson*. Londres, Faber, 1952.

D. Daiches, *Robert Louis Stevenson and his world*. Londres, Thames & Hudson, 1973.

J. Calder, *R.L.S. : A Life Study*. Londres, Hamish Hamilton, 1980.

N. Rankin, *Dead Man's Chest : travels after R.L.S.* Londres, Faber, 1987. Un voyage sur les traces de l'auteur à travers le monde entier, notamment dans les mers du Sud.

M. Le Bris, *Robert Louis Stevenson*. Paris, NIL Editions, 1994, 2 vol.

Correspondance

The Letters of Robert Louis Stevenson. Ed. Sidney Colvin, Londres, Methuen, 1911, 4 vol.

H. James - R.L. Stevenson : une amitié littéraire. Ed. M. Le Bris, trad. M. Durif, Verdier, 1987.

M. Schwob - R.L. Stevenson : correspondances. Ed. F. Escaig, Paris, Allia, 1992. Contient aussi quatre essais de M. Schwob sur R.L.S.

Lettres du vagabond. Correspondance établie et présentée par M. Le Bris, NIL Editions, 1994, tome 1.

Essais

R.L. Stevenson, *Essais sur l'art de la fiction*. Ed. M. Le Bris, Paris, La Table Ronde, 1988. Contient notamment

« Un chapitre sur les rêves », indispensable pour comprendre la genèse du *Cas Etrange*.

Ouvrages généraux sur l'œuvre de R.L.S.

G.K. Chesterton, *Robert Louis Stevenson*. Londres, Hodder & Stoughton, 1927.

S. Gwynn, *Robert Louis Stevenson*. Londres, Macmillan, 1939.

D. Daiches, *Robert Louis Stevenson : a revaluation*. Glasgow, W. Mac Lellan, 1947.

M. Elwin, *The Strange Case of Robert Louis Stevenson*. Londres, Macdonald, 1950.

E.M. Eigner, *Robert Louis Stevenson and Romantic Tradition*. Princeton, N.J., Princeton U.P., 1966.

I.S. Saposnik, *Robert Louis Stevenson*. New York, Twayne Publishers, 1974.

J. Calder (ed.), *Stevenson and Victorian Scotland*. Edinburgh, Edinburgh U.P., 1981.

P. Maixner (ed.), *Robert Louis Stevenson : The Critical Heritage*. Londres, Routledge & Kegan Paul, 1981.

A. Noble (ed.), *Robert Louis Stevenson*. Londres, Vision Press, 1983.

J.-P. Naugrette, *Robert Louis Stevenson : l'aventure et son double*. Paris, PENS, coll. « Off-Shore », 1987.

Revue *Europe*, numéro spécial R. L. Stevenson, n° 779, mars 1994.

Articles et ouvrages sur Le Cas étrange

J. L. Borges, « Métamorphoses du Docteur Jekyll et d'Edward Hyde », in *Discussion*. Paris, Gallimard, 1966.

M. Miyoshi, « Dr Jekyll and the Emergence of Mr Hyde ». *College English*, n° 37, 1966.

J. Goimard, « Robert Louis Stevenson et ses doubles ». *Magazine Littéraire*, n° 126, 1977.

J. Charyn, « Afterword », in Robert Louis Stevenson, *The Strange Case of Dr Jekyll and Mr Hyde*, New York, Bantam, 1981. Reprend l'hypothèse homosexuelle formulée par Gwynn, en l'appliquant notamment à Sir Danvers Carew.

V. Nabokov, « The Strange Case of Dr Jekyll and Mr Hyde », *Lectures on Literature*. Londres, Weidenfeld & Nicholson, 1980 ; Picador, 1983 ; Fayard et Le Livre de Poche, 1984.

A. Jefford, « Dr Jekyll and Mr Nabokov : Reading a Reading », in Noble, 1983.

S. Heath, « Psychopathia Sexualis : Stevenson's Strange Case ». *Critical Quarterly*, n° 28, 1986.

W. Veeder et G. Hirsch (ed.), *Dr Jekyll and Mr Hyde After One Hundred Years*. Chicago et Londres, University of Chicago Press. L'un des meilleurs recueils d'articles sur le roman, établi à l'occasion du centenaire de sa publication. Contient notamment l'article de Veeder cité dans l'Introduction, et un important dossier iconographique sur les adaptations au théâtre et au cinéma du *Cas étrange*.

J.-P. Naugrette, « *Dr Jekyll and Mr Hyde* : dans le labyrinthe ». *Tropismes*, n° 5, « L'Errance », Université Paris X-Nanterre, 1991.

R. Dury, *The Annotated Dr Jekyll and Mr Hyde*. Milan, Guerini Studio, coll. « Collana Blu », n° 19, 1993.

Filmographie

J.S. Robertson, *Dr Jekyll and Mr Hyde*, 1920.

F.W. Murnau, *Januskopf*, 1920.

R. Mamoulian, *Dr Jekyll and Mr Hyde*, 1932.

V. Fleming, *Dr Jekyll and Mr Hyde*, 1941.

J. Renoir, *Le Testament du Dr Cordelier*, 1959.

T. Fisher, *The Two Faces of Dr Jekyll*, 1960.

J. Lewis, *The Nutty Professor (Dr Jerry and Mr Love)*, 1963.

Ch.B. Griffith, *Dr Heckell and Mr Hype*, 1984.

Sur les adaptations, on pourra consulter H.M. Geduld, *The Definitive Dr Jekyll and Mr Hyde Companion*, New York, Garland Publishers, 1983. V.W. Wexman (in Veeder et Hirsch, 1988) dénombre pas moins de soixante-neuf versions cinématographiques du roman.

CHRONOLOGIE

1850 : Naissance à Edimbourg, le 13 novembre. Du côté paternel, les Stevenson sont gens de négoce, de mer, et des bâtisseurs de phares, depuis son père, Thomas, en remontant jusqu'à son grand-père, Robert Stevenson, l'un des premiers à préconiser les phares lenticulaires pour éclairer le dangereux littoral écossais. Walter Scott voyagea en sa compagnie en 1814 le long des côtes d'Ecosse, et le cite dans sa Préface du *Pirate*. Du côté maternel, Margaret Balfour est la fille cadette du Révérend Lewis Balfour, issu d'une famille des Borders, à la frontière entre l'Ecosse et l'Angleterre.

1853 : La famille déménage et quitte la maison natale de Robert Louis (le plus souvent appelé Louis, Lou, ou « Smout »), au 8 Howard Place, pour aller habiter au 1 Inverleith Terrace, mais l'humidité qui y règne apparaît déjà nocive pour sa santé fragile et, en 1856, elle s'installera au 17 Heriot Row, dans la partie géorgienne de la ville (« New Town »).

1859 : Décès de son grand-père, le pasteur Balfour, chez qui il séjournait fréquemment. La santé fragile de l'enfant et le rôle effacé de la mère mettent en relief le personnage d'Alison Cunningham, sa nourrice (surnommée « Cummy » ou « Cummie »), à qui il dédiera son recueil de poèmes *Jardin de poèmes enfantins*. La même année, R.L.S. entre à l'école, mais ses études, souvent interrompues par la maladie, seront décousues. Grande influence de Cummy à cette époque, par ses lectures de la Bible, de Bunyan et des Presbytériens écossais, mais aussi du magazine *Cassell's Family Paper*, avec ses histoires d'aventures ou de cape et d'épée.

1863 : Découvre Menton et la Côte d'Azur avec sa mère. Compose une revue manuscrite, *The Schoolboy's Magazine*, où il recopie des histoires ayant trait notamment aux Mers du Sud.

1866 : Publie une deuxième revue, et cent exemplaires de son premier livre, *La Révolte du Pentland*, qui retrace le soulèvement des paysans puritains au XVIIᵉ siècle. Les vacances familiales se passent souvent à North Berwick, près d'Edimbourg, où R.L.S. aime à « crusoer » avec ses camarades sur le rivage.

1867 : En octobre, il est inscrit à l'Université d'Edimbourg afin de devenir ingénieur. Mais il scandalise famille et professeurs par sa vie de bohème, notamment sous l'influence de son cousin Robert (Bob), à qui sera dédié le récit de son voyage en Californie.

1868 : En voyage avec son père à Anstruther, puis à Wick, sur la côte nord-est de l'Ecosse. Il assiste à une tempête qui détruit les travaux menés par son père sur le port et la jetée.

1869 : Elu à la Société Spéculative d'Edimbourg, aux idées souvent iconoclastes.

1870 : Premier séjour (trois semaines) sur l'îlot d'Erraid, près de l'île de Mull (Hébrides extérieures), au large duquel son père construit un phare. A Edimbourg, il a une liaison avec une prostituée, Claire (ou Kate Drummond ?). Il lui propose de l'épouser : scandale familial.

1871 : Fait une communication à la *Société royale des arts* sur « une nouvelle forme de lumière intermittente destinée aux phares », qui remporte une médaille d'argent, mais il abandonne vite ses études d'ingénieur au profit du droit.

1872 : Second séjour sur Erraid (voir « Mémoires d'un îlot », 1887).

1873 : En janvier, il avoue à son père, calviniste, qu'il a perdu la foi : début d'une grave crise familiale. Pendant l'été, rencontre Sydney Colvin, professeur d'histoire de l'art à Cambridge, ainsi que Mrs. Sitwell, dont il tombe amoureux, mais sans espoir de succès. Elle épousera Colvin en 1903. C'est grâce à Colvin que R.L.S. sera introduit dans les milieux littéraires. En novembre, il s'embarque pour la France. Il passera l'hiver 1873-1874 à Menton pour cet emphysème pulmonaire dont il souffrira toute sa vie.

1874 : De retour en Angleterre, se met à travailler avec acharnement à des articles de critique et des nouvelles. Il est publié dans le *Cornhill Magazine*, dont le directeur est Leslie Stephen, le père de Virginia Woolf.

1875 : Au printemps, il fait un voyage à Paris, et découvre Barbizon avec Bob. Il y reviendra durant l'été. En juillet, il réussit son examen de droit mais n'exercera jamais la profession d'avocat.

1876 : Ses habitudes bohèmes le font chasser de la maison paternelle. Il est recueilli par W.E. Henley, avec lequel il devait écrire quatre pièces de théâtre en 1884-1885, dont le *Diacre Brodie*, sur un thème voisin de *Dr Jekyll et M. Hyde*. L'été, il descend la Sambre et l'Oise en canoë avec Walter Simpson, expérience relatée dans *Voyage sur les canaux et rivières* (1878). En août, fait la connaissance d'une Américaine, Fanny Osbourne, artiste séparée de son mari : elle a treize ans de plus que R.L.S., et trois enfants, dont deux l'accompagnent lors de son séjour à Grez, près de Fontainebleau, où ils se rencontrent pour la première fois.

1877 : Fanny Osbourne et R.L.S. se retrouvent à Grez durant l'été. Il achète une péniche qu'il amarre sur le Loing et aménage en bateau de plaisance. En octobre, il la retrouve à Paris. Ils sont désormais amants.

1878 : En mai, publication de son premier livre, le *Voyage sur les canaux et rivières*. Henley accepte dans *London*, sa revue, les premières nouvelles qui constitueront les *Nouvelles Mille et Une Nuits* (1882). En septembre, R.L.S. entreprend un voyage à pied dans les Cévennes, accompagné d'une ânesse, Modestine.

1879 : Malgré l'avis de sa famille et de ses amis, il décide d'aller rejoindre Fanny en Californie. Publication des *Voyages avec un âne dans les Cévennes* en juin (GF, 601). Le 7 août, il s'embarque à Glasgow pour arriver à New York le 18, puis rejoint Fanny à Monterey après un long voyage en chemin de fer d'Est en Ouest. En décembre, il est atteint d'une pleurésie, conséquence du surmenage qu'imposent ses travaux alimentaires. Il trouve alors en Fanny une infirmière efficace et dévouée.

1880 : Les mois de janvier et de février sont très difficiles. R.L.S. est seul (Fanny est chez sa sœur à Oakland) et se surmène : il envoie à son père un télégramme désespéré, qui reste sans réponse. En mars, après avoir veillé un enfant malade, il a une pneumonie et manque mourir : Fanny vient à son secours, et après six semaines, il est hors de danger. Le divorce de Fanny est prononcé, et ils se marient le 19 mai à San Francisco, sans que R.L.S. ait complètement recouvré la santé : on parle alors d'un mariage « in extremis ». Fuyant les brouillards de San Francisco, le couple (accompagné de Lloyd, le fils de Fanny) s'installe durant l'été sur le mont Saint Helena, dans une mine d'argent abandonnée, Silverado. Le 7 août, ils partent en Angleterre. Ce voyage et ce séjour en Californie feront l'objet d'un récit intitulé *From Scotland to Silverado*. Publication de *Deacon Brodie*.

1881 : En septembre, séjour en Ecosse où avec l'aide de Lloyd il conçoit la carte et les premiers chapitres de *L'Ile au trésor*. En octobre, séjour en Suisse, à Davos, où il achève le roman qui paraît en feuilletons dans le magazine londonien *Young Folks*. Publication d'un recueil d'essais, *Virginibus Puerisque*.

1882 : Les Stevenson quittent Davos pour Londres, puis l'Ecosse. Publication d'un autre recueil d'essais, *Familiar Studies of Men and Books*, dédié à son père, et consacré à Victor Hugo, Robert Burns, Walt Whitman, François Villon, Charles d'Orléans ou encore Samuel Pepys. Publication des *Nouvelles Mille et Une Nuits*. L'été, séjour dans le Midi de la France (Marseille, Nice), toujours pour des raisons de santé.

1883 : En mars, installation à Hyères, au chalet « La Solitude », où le couple séjournera seize mois. R.L.S. écrit *Le Prince Othon*. En septembre, il rejoint son père à Royat, près de Clermont-Ferrand, station thermale qui apparaîtra dans « La Magicienne », nouvelle écrite à Samoa. En novembre, *L'Ile au trésor* paraît avec grand succès chez Cassell (GF, 593).

1884 : En juillet, le couple s'installe à Bournemouth. Dans le cottage « Skerryvore », il recevra la visite de Colvin, de Bob Stevenson ou de Henry James, avec lequel il entretiendra une correspondance nourrie. Vient également le peintre américain John Singer Sargent, qui fera de lui deux portraits. Publication des *Silverado Squatters*, qui relatent l'épisode dans la mine californienne.

1885 : Publication de *Prince Othon*, et d'un recueil de poèmes, *Jardin de poèmes enfantins*, en mars. Egalement, du *Dynamiteur*, suite des *Nouvelles Mille et Une Nuits*, écrit en collaboration avec Fanny, et dont Marcel Schwob devait écrire la Préface pour la première traduction française en 1894.

1886 : En janvier, parution du *Cas étrange du Dr Jekyll et de M. Hyde*, qui rencontre un énorme succès. Egalement, d'*Enlevé !*, premier roman écossais, d'abord paru sous le titre *David Balfour* dans *Young Folks*.

1887 : Le 8 mai, son père meurt à Edimbourg. Le 21 août, les Stevenson quittent l'Angleterre pour l'Amérique du Nord. L'écrivain ne devait jamais revoir l'Europe. Ils s'installent pour l'hiver dans les monts Adirondacks, sur les bords du lac Saranac, près de la frontière canadienne. R.L.S. y entame la rédaction du *Maître de Ballantrae* (GF, 561). Publication de *Memories and Portraits*.

1888 : En avril, il s'installe à New York, alors que Fanny se rend en Californie. Au printemps, il rencontre Mark Twain. Le 28 juin, les Stevenson (accompagnés de Lloyd et de Margaret Stevenson, la mère de l'auteur) partent de San Francisco pour un voyage dans le Pacifique à bord du *Casco*. En juillet, ils sont aux Marquises, en septembre à Tahiti, avant de partir pour Hawaï en décembre.

1889 : Le 25 janvier, ils sont à Honolulu, où ils louent une maison près de Waikiki. C'est là qu'il achève *Le Maître de Ballantrae*, qui paraîtra d'abord en feuilletons dans le *Scribner's Magazine*, puis en volume chez Cassell (août). Ecrit *Un mort encombrant* en collaboration avec Lloyd. De juin à décembre, voyage dans les Mers du Sud à bord de *L'Equateur*, des îles Gilbert aux Samoa, où ils achètent un terrain et feront construire une résidence, Vailima. Séjour en Australie. Retour de sa mère en Ecosse.

1890 : Il est à Sydney au début de l'année, et fait une grave rechute. D'avril à août, croisière dans le Pacifique à bord du *Janet Nichol* en passant par les îles Gilbert, Marshall, et la Nouvelle-Calédonie. En octobre, installation définitive à Vailima. Publication de *Dans les Mers du Sud* et de *Ballades*.

1891 : En janvier, repart pour Sydney, pour aller accueillir sa mère revenue d'Ecosse et la ramener à Samoa, où elle pourra s'installer en mai. En octobre, il écrit à James que la suite d'*Enlevé !* est en chantier. Levé à cinq heures du matin, R.L.S. écrit beaucoup à Vailima, où il règne sur ce que Lloyd appellera « le clan Stevenson ». Il est surnommé « Tusitala » par les indigènes, c'est-à-dire « le conteur d'histoires ».

1892 : Publication du *Trafiquant d'épaves*, écrit en collaboration avec Lloyd. Achèvement de la suite d'*Enlevé !*, dont le
titre final sera *Catriona*.

1893 : La guerre civile fait rage à Samoa, et R.L.S. s'engage
dans la politique de l'archipel pour défendre les indigènes
contre les abus de pouvoir d'un baron allemand, qui
gouverne en lieu et place du souverain local. Voyage à
Sydney en février. En avril, publication de *Veillées des Iles*
chez Cassell, recueil de trois nouvelles d'inspiration poly-
nésienne, dont *The Beach of Falesá*, la plus importante et la
plus longue. Publication de *Catriona*. Voyage à Honolulu
en septembre et octobre. Début d'une édition de ses
Œuvres complètes à Edimbourg.

1894 : *Le Creux de la Vague*, publié d'abord en feuilletons
dans *Today* de novembre 1893 à février 1894, paraît en
volume chez Heinemann en septembre 1894 (GF, 679).
Un roman historique, *St. Ives*, est abandonné au profit de
Weir of Hermiston, sur lequel R.L.S. travaillait encore le
jour de sa mort subite survenue à Vailima le 3 décembre,
où il est foudroyé par une crise d'apoplexie. Il est enterré
solennellement au sommet du mont Vaea, porté par les
indigènes et leurs chefs. Sur sa tombe sont gravés les vers
de son « Requiem » composé à Hyères dix ans plus tôt.

TABLE

GF Flammarion

09/08/148835-VIII-2009 – Impr. MAURY Imprimeur, 45330 Malesherbes.
N° d'édition L.01EHPNFG0625.C008 – Juin 1994 – Printed in France.